사월에
내리는
눈

사월에
내리는
눈

이아타
소설집

청색종이

사월에 내리는 눈

이아타 소설집

사월에 내리는 눈

그는 어제 새로운 약을 처방받고 영화 한 편을 봤다. 연차 휴가의 하루가 그렇게 단순하게 지나갔다. 석 달째 복용하던 항우울제 프로작이 그에게는 효과가 없었다. 신경세포 돌기 모양 차이라고 의사가 말했다. 병원에서 나와서 곧장 영화관으로 향했다. 오랜만에 할리우드 SF 블록버스터가 개봉됐고 하나밖에 없는 가상현실(VR) 영화관까지 한 시간 넘게 운전했다. 영화관이 있는 복합몰에서 인도 커리 음식을 먹고 검은 설탕이 듬뿍 들어간 대만 차를 마시고 러닝 타임이 길고 생동감 넘치는 영화를 봤다. 그런 영화를 보면 자주 느끼는 거지만 뱃속에 포만감이 가득하고 발이 땅에 닿지 않는 기분이었다. 지하주차장

에서 밖으로 나오니 해가 지고 있었다. 사월에 접어들었
는데 날씨가 꽤 쌀쌀했다.

집에 돌아와 뉴스를 보면서 저녁을 먹고 새로 처방받은
SNRI 계열의 이펙사를 먹었다. 욕실 청소를 하고 이메일
을 점검했다. 몇 개의 광고 메일과 센터의 팀장이 업무와
관련된 서류를 체크하는 메일이 와 있었다. 미리 알려줬
건만 팀장이 잊은 것이다. 그는 고용센터에서 실업급여
수급자를 분류하고 급여 신청을 돕는 일을 했다. 대부분
의 업무가 그렇겠지만, 그의 업무 역시 꼼꼼하게 서류들
을 체크하면서 같은 말을 반복하는 일이었다. 처음 삼 년
정도는 단순하고 자잘하고 반복적인 일이 무척 지루했지
만 팔 년 차인 지금은 습관처럼 익숙하고 편했다. 그는 곧
장 답신을 보내고 팀장에게 문자메시지도 잊지 않았다.
이번 연차도 팀장의 눈치 때문에 사용하게 됐다. 법적으
로 보장된 연차 13일을 동료들은 여름휴가나 연말 혹은
명절 연휴 시즌에 길게 쓰고 싶어 했다. 팀장에게서 메일
확인했다는 메시지가 왔다. 상진은 침대에 기대 텔레비

전 채널을 순회하다가 먹방 프로그램을 삼십 분 보고는 텔레비전을 껐다. 전등을 소등하고 침대에 눕자 온몸이 나른했다. 별로 한 일도 없는데 피곤했다. SSRI를 버리고 SNRI를 투약하고 SF 영화를 VR 영화관에서 보았다고 하루를 요약하며 눈을 질끈 감았다.

꿈속에서 우주를 떠도는 우주선을 보았다. 엄격한 질서 속의 은하계 행성들 사이로 우주선 하나가 질서를 잃은 채 오랫동안 떠돌았다. 잠이 깬 상진은 침대에 누운 채 눈을 뜨고 한참 어둠을 바라봤다. 새벽 두 시였고 방안은 아주 어두웠다. 순도 높은 어둠이 있어야 깊이 잠들 수 있었다. 가전가구의 전등을 모두 소등하고 두꺼운 암막 커튼으로 빛을 차단한 방은 은하계처럼 깜깜했다. 누군가의 이름을 목구멍으로 소리 내 불러보고 싶은 기분이었다. 생각이란 걸 하고 싶지 않은 밤이었다. 그는 이내 잠들고 싶었다. 술을 먹으면 안 되지만 어쩔 수 없었다. 지금 잠들지 않으면 우주만큼 무한한 생각을 하게 될 테고 내일 하루 머릿속이 무중력 상태가 되리라는 걸 그는 잘 알았

다. 전등 켜는 것도 귀찮아 휴대폰 불빛에 의지해 서랍에
서 러시아산 술을 꺼내 병째 목구멍으로 삼켰다. 그리곤
다시 침대로 돌아가 커다란 베개를 다리 사이에 끼우곤
모로 누웠다. 독주 때문인지 이펙사 덕분인지 그는 아침
까지 깊은 잠을 잤다.

보안상의 문제겠지만 블로그가 폐쇄됐다. 특별한 목적
을 위해 한시적으로 오픈한 블로그였다. 쪽지로 받은 주
소를 메모도 않고 지워버린 걸 아침에야 알게 된 상진은
이정수에게 카톡을 남겼다. 이정수는 상진보다 세 살 위
였다. 잠시 후 주소가 도착했다. 기억대로 서울의 한쪽
끝 북한산 자락이었다. 이어 정수는 오두방정 떠는 이모
티콘과 함께 '오늘의 메뉴' 같은 오늘의 모험이라고 덧붙
였다.

이정수를 처음 만난 건 우울한 사람들의 모임에서였
다. 모임에는 젊은 여자들도 꽤 있었지만, 똑똑한 여자들
은 별 영양가 없는 모임임을 단박에 알아차리고 하나둘

빠져나가고 미적거리는 또래 남자 넷이 남았다. 그중에서 이정수는 모임을 주도했고 말도 많았고 우스갯소리도 곧잘 늘어놓았고 누가 봐도 우울 지수가 가장 높았다. 정수는 엄밀히 말해 조울증이었는데 평소엔 전혀 드러나지 않는, 말 그대로 중증이었다. 그리고 무슨 일을 해서 먹고사는지 도무지 짐작이 되지 않는 인물이기도 했다. 부동산 관련 일을 하는 거 같다가 휴대폰 매장에서 영업하는 것 같다가 유흥업소를 관리하는 것 같기도 했다. 한번 결혼했었다는 거 말고는 사생활에 대해서도 말하는 법이 없었다. 그는 입버릇처럼 돈 되는 일과 재밌는 일은 무슨 일이든 한다고 말하곤 했다.

창문을 열었다. 흐리고 꾸덕꾸덕한 대기가 창문 너머로 보였다. 공기가 차고 습한 게 오후에 북한산 아래에서 찬비를 맞을 것 같은 날씨였다. 서울에도 벚꽃이 피기 시작했다는 뉴스를 봤지만 그는 아직 보지 못했다. 운전을 하고 다녀서인지도 몰랐다. LP 레코드를 턴테이블에 올렸다. 그는 음악에 특별한 취향도 없었고 심미안도 없었다.

그저 그날의 기분에 따라 골라 들을 뿐이었다. 부모님 집에서 독립하면서 옷 상자 외에 그가 유일하게 가지고 나온 것이 구식 턴테이블이었다. 가끔 음악을 듣던 어머니가 나이가 들면서 하루 종일 텔레비전만 보는 사람으로 변해가면서 자연히 장식품이 된 거였다. 바늘을 가져다 대고 뒤로 물러나 방바닥에 앉으면 거의 정확하게 음악이 시작되었다.

　가볍게 튀는 음과 함께 재즈 보컬의 음성이 흘러나왔다. 그는 벽에 등을 기대고 잠시 음악을 들었다. 왜 그런지 모르지만 엘피에서 음악을 들을 때면 소파도 침대도 아닌 바닥에 앉아 벽에 등을 대고 있어야 몰입감이 높았다. 엘피 특유의 잡음과 살짝 튀는 소리들이 그를 편안하게 했다. 아무 할 일이 없는 오전, 그는 이런 이유들을 곰곰이 생각했다. 아마도 역설적으로 음악을 듣고 있다는 현실감각을, 발을 땅에 대고 있다는 감각을 주기 때문인 듯했다. 툭툭 불거지는 잡음이 음악과 자신이 탯줄로 연결돼 있다는 안정감을 주기 때문인지도 몰랐다. 허스키하고 끈끈한 여성 보컬의 목소리가 흘러나오자, 상진은 자신이 뭔가를 잊고 있는 기분이 들었다. 어쩌면 잊으려 한 것인지도 몰랐다.

약간 허스키한 이안의 목소리가 떠오르지 않았다. 6개월 전에 만났는데 목소리가 기억나지 않는 게 당황스러웠다. 그가 이안과 사귄 이유 중 하나가 목소리였다. 사람들과 상담을 하고 전화통화가 많은 일을 하는 상진은 목소리에 민감한 편이었다. 목소리뿐 아니라 어조나 분위기 따위가 어우러져 작용하는 거겠지만 이안의 목소리는 편안했다. 약간 허스키하고 여자치고는 중저음에 빠르지도 느리지도 않은 음성은 숲 속 벤치에 앉아 있을 때 스치고 지나가는 바람 같았다. 그런 목소리가 도무지 떠오르지 않았다.

이안이 말했다. 목소리는 기억나지 않는데 이안이 한 말은 또렷이 떠올랐다. '네가 아니었다면, 네가 나를 외롭게 하지 않았다면, 나는 결혼하지 않았어. 그랬다면 아기도 없었겠지. 원망을 하려는 건 아니야. 인생이 좀 이상하다는 말을 하려는 거야. 외로워서 다른 남자와 결혼하고 더 외로워져서 이혼하고 이혼했는데 아기를 낳아야 하고 ……. 그런데 지금 나는 외롭다는 말을 할 수 없을 만큼 외롭고, 네가 널 마주하고 있다는 거, 이건 좀 이상한 써클 같아.' 엘피가 잠시 지지직거렸다. 그리곤 트랙을 도는 잡음과 함께 다시 처음으로 돌아갔다. 상진은 딱딱한 벽에 머리를 기댔다.

지난가을 이안은 아기를 낳았다. 전남편의 아기였다. 이혼 숙려 기간에 임신 사실을 알고 절망했지만 얼마 후 이안은 아이를 낳기로 결심했다. 이번엔 전남편의 반대가 심했다. 양육비 때문이었다. 그녀는 헌신적으로 전남편에게 호소했다. 그런 열정으로 살았다면 이혼하지 않았을 거라고 전남편이 말했다고 했다.

이안이 아이를 낳은 지 삼 일째 되는 날, 상진은 과일 바구니를 들고 병원에 갔다. 오지 말라고 했지만 가야 할 것 같았다. 이안은 옅은 미색의 환자복을 입고 있었고 얼굴과 몸이 부어 있었다. 그녀는 그런 모습을 보이는 걸 부끄러워하다가 금방 담담하게 얼굴을 바꿨다. 그가 몸은 괜찮으냐고 묻자 아기도 자신도 다 건강하다고 답했다. 세상에 나온 아기는 신생아실에 있었다.

이안의 엄마가 병실로 들어서면서 그를 쳐다보았다. 이안은 엄마에게 그를 친구라고 소개했다. 상진은 어머니의 눈빛에서 자신에 대해 이안에게 들은 게 있다는 걸 느꼈다. 주스를 건네주고 사과를 깎으면서 이안의 엄마는 그를 슬쩍 살폈다. 출산한 옛 여자친구를 찾아오는 남자는 흔치 않은 일이었다. 포크에 찍은 사과를 쥐여주면서 그녀는 상진을 지그시 바라봤다. 한눈에 모든 걸 파악해보겠다는, 노인네 특유의 눈빛이었다. 그가 어떤 사람이며, 자기 딸과 어떤 관계이며, 앞으로 어떨지 알아내겠다는 욕심 혹은 사명감. 그러다 이내 낯빛을 바꾼 이안의 엄마는 있는 듯 없는 듯한 표정으로 이야기 나누라고 하곤 침대 한쪽 끝을 잡고 일어나 병실을 나갔다.

어색하고 침울한 공기가 상진의 어깨에 내려앉았다. 그는 접시에 담긴 사과 한 조각을 다시 먹었다. 그를 바라보던 이안이 일부러 환한 얼굴로 말했다.

　- 지난번에 내가 한 말 너무 진지하게 생각하지 마. 솔직한 생각이긴 하지만, 생각해보니까 너무 주관적인 말이었어.

　- 내가 너를 외롭게 한 건 사실인 거 같아. 그땐 몰랐지만.

　- 응, 그래. 그렇지만 네 탓만은 아니야. 단지 네가 옆에 있어서 더 외로웠다는 거야.

　- 아마 내가 외로워서 그랬던 거 같아.

　- 알 거 같아. 우린 예전에 이런 대화를 했었어야 해.

　상진은 고개를 끄덕였다. 대단치도 않은 이런 말을 서로 하지 않았다는 게 놀라울 정도였다. 시간이 흘러야 알게 되는 일들이 있었다.

　- 그런데 이제는 말이야, 이상한 순환이 이상하면서도 뭔가 좀 자연스러워. 그게 좀 재밌으려고 해.

　그러면서 그녀는 슬그머니 옆으로 누웠다. 오래 앉아 있기가 힘들다고 했다. 얼굴과 몸이 퉁퉁 부은 채 누운 그녀의 모습은 사찰에서 본 와불을 연상시켰다. 큰일을 치른 표정엔 안도감과 함께 온화함이 감돌았다. 나른하고 평화로워 보였다. 그때 이안은 그랬다.

그 후 몇 번 전화를 했지만 그녀는 그의 전화를 반가워하지 않았다. 갓난아기가 깰까 봐 전전긍긍했고 풀이 죽고 지친 표정이 잠깐의 통화에서 느껴졌다. 이해 못 할 일도 아니었다. 아무 일도 할 수 없는 이안은 전남편의 양육비와 국가에서 지원하는 싱글맘 지원금으로 살아가고 있었다.

북한산 아래 동네들 중에서도 한적한 동네 모습이 이어졌다. 지은 지 수십 년씩 돼 보이는 주택들이 오밀조밀 모인 동네라 길이 좁아 천천히 운전했다. 상진은 내비게이션이 알려주는 대로 길을 찾아 골목을 돌았다. 조금 전에 이정수가 보내온 사진과 흡사한 집이 멀리로 보이기 시작했다. 여러 개의 골목을 벗어나자 산과 바투 이어진 오래된 별장 같은 집이 여러 채 보였고, 그중 가장 안쪽

집이 오늘의 목적지였다. 오늘의 모험에 어울릴 법한 위치에 누추하지도 않고 화려하지도 않은 어정쩡한 집이었다. 그는 오래된 별장 같은 집으로 진입하면서 어정쩡한 게 좋다고 생각했다.

벌써 자동차 여러 대가 주차돼 있었다. 정각 4시였다. 아마도 그가 마지막에 도착한 듯싶었다. 집보다 면적이 넓어 보이는 마당에는 그의 차를 포함해 아홉 대가 서 있었다. 그렇다면 여자 하나에 남자 여덟일 터였다. 일찍 도착했는지 이정수의 중형차가 안쪽에 대 있었고 이어 고급 세단도 보이고 스포츠카도 있고 고만고만한 자동차들이 여럿이었다. 차에서 내리자 북한산을 감도는 차고 습한 공기가 그를 감쌌다.

현관문은 열려 있었다. 문을 열고 들어서자 널찍한 대리석 바닥에 구두와 운동화 따위들이 나란히 정리돼 있었다. 이십 대에서 사십 대로 보이는 남자들이 소파에 앉거나 창문 밖을 보고 있었다. 인기척을 느낀 남자들 서넛이 고개를 돌려 상진과 타인들을 재빨리 훑었다. 남자들의 눈빛은 아프리카 삭막한 고원에서 마주친 야생동물의 그것과 흡사했다. 정수가 화장실에서 나왔다. 그가 상진에게 눈으로만 알은체를 했다.

내부 규모로 보아 한때 많은 사람들이 드나들었으나 오래전부터 비워둔 집 같았다. 실내는 좀 화사하고 화려했다. 로코코풍을 흉내 낸 가구며 장식장들이 멋쩍게 놓여 있었다. 오래전엔 꽤 고급이었을 화려한 물건들은 왕년에 남자깨나 후렸던 늙은 여자의 주름진 손에 끼워진 커다란 알반지 같았다. 소파를 마주하고 골동품으로 보이는 나지막한 반닫이 두 개가 보였고, 그 외에 장식 없이 온화한 베이지색 벽이 그대로 드러나 있었다. 무릎 높이의 반닫이 위에 사진들이 보였다. 시선 둘 데 없는 누군가가 사진을 보기 위해 다가가자 상진도 몇 걸음 다가갔다.

흑백의 결혼식 사진 두 장 그리고 육십 년 전 해수욕장의 연인의 모습이 찍힌 사진이 눈에 들어왔다. 수영복을 입은 젊은 여자는 똥배가 약간 있지만 날씬했고 아름다웠다. 카메라를 의식한 젊은 여자의 표정이 예뻐 보였다. '나, 사진 찍는 거 어색하단 말이에요.' 여자가 애인에게 투정을 부렸을 것 같았다. 다른 반닫이 위에는 갓난아기를 안은 젊은 부부, 녹색 대문 앞에서 어린아이들 손을 잡은 부부, 해외여행 중 성당 앞에서의 기념사진, 손자 손녀들의 돌 사진, 그리고 이 별장이 처음 지어졌을 때 찍은 듯한 가족사진도 보였다. 별장 잔디밭에 스무 명이 넘는 대가족이 서 있었다. 자동차가 주차된 마당이 그 시절엔 잔디밭이었다. 노인 부부와 아들 딸 내외, 그리고 손자 손녀들. 눈이 부리부리한 중년 남자는 어쩐지 이정수와 닮아 보였다. 늦봄의 푸근한 햇살이 느껴지는 사진이었다.

이정수가 몇 걸음 다가와 사진이 놓인 반닫이 앞으로 와서 무릎을 구부리고 사진을 잠시 바라봤다. 그리곤 반닫이 뒤로 가더니 벽을 짚었다. 벽이 아니었다. 문이었다. 정수가 옆으로 밀자 다다미방 미닫이처럼 양쪽으로 완전히 열렸다. 놀라울 것도 없는데 거실의 남자 둘이 낮게 탄

성했다. 벽을 터서 문을 낸, 옛날 아파트에 흔한 구조였다. 방 안이 훤히 보였다. 역시 로코코 풍의 커다란 침대가 정면에 보이고 바닥에 커다란 밍크 담요가 깔려 있었다. 그게 다였다. 가구며 장식품들을 모두 정리한 느낌이었다. 알록달록한 밍크 담요를 보면서 상진은 돌아가신 외할머니를 떠올렸다. 할머니는 겨울에 보일러 아낀다며 바닥에 밍크 담요를 깔아두곤 했다. 대여섯 살 때의 일이었고, 완전히 잊고 있던 기억이었다. 한때나마 조건 없는 사랑을 듬뿍 받았다는 사실도 새삼 떠올랐다.

　잠시 후 거실로부터 조금 떨어진 작은 방의 문이 열리고, 말끔하게 옷을 다 벗은 여자가 거실로 나왔다. 여자가 팬티 조각 하나라도 걸쳤다면 꽤 촌스러웠을 거라고 상진은 생각했다. 여자의 당당함에 눈만 반짝이는 남자들은 위축돼 보였다. 여자의 눈에는 검은 안대 같은 가면이 쓰여 있었다. 여자가 가면 사이로 날카롭게 남자들을 쏘아보았다. 흡사 옷을 벗으라고 명령하는 선임상사 같은 눈빛이었다. 남자들은 잠시 쭈뼛거렸다. 누군가 셔츠 단

추를 풀자 모두 절제되고 빠른 동작으로 옷을 벗었다. 상
진도 그랬다.

검은 구두를 신은 여자가 거실을 가로질러 성큼성큼
안방에 들어가 밍크 담요 위에 섰다. 거실에 서 있던 무
리 중 이정수가 제일 먼저 여자에게 다가가 키스했다. 옷
은 다 벗었지만 줄무늬 양말이 신겨진 뒷모습을 보자 상
진은 웃음이 새나올 거 같아 살짝 입술을 깨물었다. 정수
의 양말 신은 종아리가 회초리 맞는 어린아이의 그것 같
았다. 또 한 명이 여자에게 다가가 여자의 구두를 벗겼다.
셋은 침대로 올라갔다. 거실의 나머지 남자들은 안방의
모습을 지켜보았다.

상진은 일어서지 않는 자신의 아래를 내려다보았다. 예
상 밖이었다. 관람하던 다른 한 명이 안방으로 들어갔다.
남자들에 둘러싸인 여자는 한 마리 반짝이고 선명한 여
왕벌이었다. 그는 옷을 입고 조용히 나갈까 하는 생각도
했다. 그렇지만 눈에 띌 게 분명했고 다른 사람들에게 예
의가 아닌 것 같았다. 상진은 다른 사람의 행위를 지켜보

며 그저 업무를 처리하듯 순서가 됐을 때 할 일을 하면 된다고 마음먹었다.

상진이 안방으로 들어갔을 때 여자는 숨이 가쁜지 배를 부풀리며 누워 있었다. 여자의 배꼽에 반짝이는 별모양 피어싱이 보였다. 상진은 여자의 피어싱을 매만졌다. 여자가 기뻐하는 것 같았다. 여자가 침대에 등을 비스듬히 기대앉아서 그도 무릎을 꿇었다. 여자의 머리 위 벽에 걸린 영정사진 두 개가 보였다. 한복을 입은 노인 부부였다. 거실에서 본 사진들의 주인공이었다. 오래전에 죽은 사람의 침대에서 살아 있음을 증명하는 행위가 비겁하게 느껴졌다. 어서 모든 걸 끝내고 싶었다. 그는 여자의 몸을 돌려 뒤에서 성기를 넣었다. 이미 꽤 흥분한 여자의 질은 비에 젖은 진흙 같았다. 땀과 체액으로 번들거리는 여자에게서 축축한 흙냄새가 났다.

모두의 행위가 끝날 때까지 아무도 자리를 떠나지 않았다. 영화관에서 자막이 다 올라올 때까지 앉아 있듯이 이런 모임의 에티켓이라고 이정수가 당부했으므로 상진도 끝까지 자리를 지켰다. 어제의 영화만큼 러닝타임이 길었다. 그는 어제 오후와 오늘이 다를 바 없다고 생각했다. SF 영화를 VR 상영관에서 본 어제와. 어쩌면 우주선을 타고 까만 우주를 떠도는 꿈을 꾼 오늘 새벽과.

  현관문을 나서니 날이 침침했고 거뭇한 어둠 속에 진눈깨비가 바람에 흩날리고 있었다. 비도 눈도 아닌 어정쩡한. 남자들이 고개를 숙이고 주차된 차를 향해 터벅터벅 걸었다. 상진은 자기 차가 대문과 가까이 있었기에 서둘러 차에 올랐다. 그가 먼저 출발해야 다른 차들이 빠져나갈 수 있었다. 각자의 자동차에 오른 남자들은 갑자기 내리는 진눈깨비에 와이퍼를 작동하고 비상등을 켰다. 진눈깨비가 눈으로 바뀐다면 집으로 돌아가는 길은 고역이 될 터였다. 이미 날은 어두워졌고 트렁크에 스노체인이 없는 사람도 많을 터였다. 상진도 마찬가지였다. 지금은 4월이었다. 비상등을 켠 자동차들이 어스름이 깔린 골목을 느리게 빠져나갔다.

눈발이 흰 머리카락처럼 차창을 스치고 공중에서 회오리쳤다. 도심으로 진입하는 잠시 동안은 괜찮았지만 우려대로 도로 상황은 엉망이었다. 겨우 흰 머리카락 같은 눈발에 자동차들은 느릿느릿 기었다. 방송에서는 가느다란 눈발이 밤부터 폭설로 변한다고 했고 서울 시내 곳곳에 정체가 극심하다고 알려주었다. 휴대폰이 울려서 받아보니 이정수였다.

— 상진아, 오늘 4월 3일이잖아. 근데 오늘이 무슨 요일이니?

— 글쎄요. 갑자기 그건 왜요?

— 서른여섯밖에 안 된 친구가 총기가 없구나.

겨우 세 살 많은 사람이 노인네처럼 말하니 절로 웃음이 났다. 어쩌면 나이를 몇 살 속인 건지도 몰랐다.

— 무슨 요일인지가 중요해요?

— 기억하려고. 사월에 눈이 오는 날을 인생에 몇 번 보겠어. 재밌는 모험도 하고.

그렇게 호들갑을 떨 만큼 눈발이 굵지도 않았다. 희끗

희끗한 흰머리처럼 누추한 사월의 눈이었다. 그럼에도 사월에 눈이 온다고 흥분하는 이정수가 사실은 마음이 깊이 병들었고 그래서 깨끗하다고 그는 생각했다. 눈처럼 더럽고 누추하고 깨끗했다. 오늘은 수요일이었다.

상진이 전화를 끊으려 했으나 이정수는 눈 오니까 말을 많이 하고 싶다고 했다. 북한산 아래 그 별장이 정수의 할아버지가 말년에 기거하던 곳이라고 했다. 오 년 전에 할아버지가 죽자 처분하려 했으나 팔리지도 않는 애물단지였다. 십오 년이나 이십 년쯤 후 지금 일흔이 넘은 이정수의 아버지가 사망하면 자연스레 이정수 자신의 소유가 될 거라 말하며 피식 웃었다. 이정수의 집안은 팔 년쯤 전까지 다복했다. 할아버지가 사업으로 일군 재산도 꽤 있었고 아버지 사형제도 먹고사는 데 어려움이 없었다. 대가족 모두 풍파 없이 안정되게 살아서 우애도 좋았다. 십 년 전 할머니가 뇌출혈로 갑자기 사망한 것이 가족들의 가장 큰 우환이었다. 그때만 해도 아버지와 그의 형제들과 아내들 그리고 정수를 포함한 사촌들은 슬픔을 함께 나누었다. 얼마 후 할아버지가 초기치매 진단을 받고부터 갈등이 시작되었다. 아버지 형제들은 부친의 치매가 심해지기 전에 재산 정리를 하려 했고 반목을 쌓아올렸다. 그 사이 독일 유학 중이던 정수의 누나가 자살했다. 누나가 자살한 이유를 누구도 알지 못했다. 아버지는 난폭해졌고 어머니는 우울증약을 먹었고 정수는 아버지에게 대들었다. 얼마 후 할아버지가 사망하고 형제의 난은 아버지의 승리로 끝났고 정수 어머니의 자살이 대미를 장식했다.

상진의 가족에겐 파란만장한 일 따윈 없었다. 아버지와 어머니, 형과 상진, 네 사람은 다만 천천히 조금씩 서로에게 실망하고 지쳤다. 아무도 말하진 않지만 돌아갈 수 없다는 걸 알았고 서로 부딪치지 않으려 거리를 두었고 우주 행성처럼 멀어졌다.

상진은 별장에서 본 초록 잔디 위에서 찍은 정수의 가족사진을 떠올렸다. 따뜻한 봄빛 아래 밝게 웃고 있는 사람들.

- 아까 형네 가족사진 봤어요. 거기 형은 없던 거 같더라.

- 음. 두고두고 나도 아쉬워. 거기 내가 없는 게. 그날 가족모임에 나만 안 갔거든. 내가 고3이라고 할아버지가 열외로 빼줬거든. 이래 봬도 나 공부 좀 했다.

전화기 너머로 정수가 멋쩍게 웃는 소리가 들렸다.

- 정수 형!

- 왜, 내가 모범생이었다는 게 안 믿기니?

- 형이 빨리 조울증이 나았으면 좋겠어요.

정수는 잠시 침묵했다. 전화기 너머로 라디오 소리가 들렸다. 교통방송인 듯했다.

- 아마 나보다 네가 먼저 좋아질 거야. 넌 뭐 아무것도 아니야.

- 오늘 집에 돌아가는 게 장난 아니겠어. 암튼 무사귀환 합시다.

전화를 끊자 상진은 목이 말랐고 커피를 마시고 싶었다. 도로 양쪽으로 커피 체인점들이 여러 개 보였지만 엄두가 나지 않았다. 막히는 도로를 헤치고 빌딩 주차장에 차를 대고 북적이는 사람들 속에서 커피를 주문하고 기다리고 다시 혼잡한 도로로 재진입하는 모든 과정이 아주 번거로울 게 뻔했다. 아무 생각도 하지 말고 기계가 알려주는 파란색 최단거리를 따라가리라 결정했다.

눈은 푹푹 내렸고 차들은 거의 움직이지 않았다. 내비게이션이 실시간으로 알려주는 교통상황은 최악이었다. 한 시간 정도의 거리가 현재는 세 시간을 예상한다고 친절하게 알려주었다. 이럴 줄 알았으면 차라리 갓길에 차를 대고 커피라도 한잔 사올 걸 싶었다. 지금은 그야말로 꼼짝도 할 수 없는 처지였다. 꽉 막힌 도로는 도무지 앞으로 나아가지 않았다. 태블릿의 반짝이는 지도 화면을 보던 상진은 파란색으로 표시된 최단거리에서 살짝 이탈한 위치에서 얌전히 숨어 있는 동네 이름을 보았다. '소후동'이었다. 지난밤 부르고 싶은 이름이 소후동이었을까. 이안이 갓난아기와 함께 새로 살고 있는 동네였다.

백 미터 전방에 유턴 구간이 보였다. 그는 천천히 옆 차선으로 끼어들었다. 그의 차 말고도 유턴하려고 끼어드는 차가 많았다. 경적을 울리는 사람은 없었다. 사월에 눈이 오는 밤이었다. 도시는 아주 고요했다. 기계가 알려주는 지름길로 간다 해도 오늘 밤은 더디 갈 것이었다.

눈발이 굵어져 함박눈으로 변했다. 번화가를 벗어나자 한결 숨통이 트였다. 이제 곧 커피를 먹을 수 있다고 생각하니 진한 커피가 너무나도 먹고 싶었다. 상진은 사실 이안이 소후동의 소후초등학교 뒤쪽 어딘가의 빌라에 산다는 것만 알 뿐 정확한 주소를 몰랐다. 그는 우선 소후초등학교에 도착하면 인근에서 마음에 드는 카페를 찾아 커피를 한잔 마시고 천천히 생각해볼 요량이었다.

주택가에 카페가 많지도 않았고 그마저도 문을 닫은 가게도 여럿이었다. 검색을 해봐도 마땅한 정보가 없었다. 미처 쌓인 눈을 치우지 못해 빙판이 된 길이 드문드문 보였다. 그렇게 소후초등학교 인근을 돌다가 이안에게 전화를 걸었다.

- 벌써 자는 건 아니지?

- 응. 아기만 좀 전에 잠들었어. 근데 왜?

몇 달 전부터 이안의 목소리엔 성마른 짜증이 묻어났다.

- 눈이 꽤 많이 왔어.

- 알아.

- 커피 마시고 싶지 않아? 아주 진한 거.

- 맛있는 커피를 먹은 게 언제인지 모르겠어.

- 지금 바로 먹는다면 무슨 커피를 먹고 싶어.

- 으음.

이안은 삼십 초 정도 진지하게 고민했다.

- 카페라테를 먹고 싶어. 샷 추가한 진한 라테.

그녀의 느릿한 어조에서 상상이라도 해보겠다는 의지
가 느껴졌다.

- 내가 배달 갈까?

- 무슨 소리야.

- 눈이 너무 많이 내려 도로가 엉망이야. 눈 처음 오는
것도 아닌데.

- 도로보다 사는 게 엉망이지.

아이를 낳은 것과 시니컬함이 무슨 연관이 있는지 모르겠지만, 그녀는 꽤 냉소적으로 변했다.

- 소후초등학교 근처에 산다고 그랬지? 그 근처에 괜찮은 커피집이 있어?

- 한 블록 떨어진 아파트 입구 쪽에 맛있는 집이 하나 있지.

- 그렇군. 다행이야.

- 창 밖에 내리는 눈처럼 너 참 뜬금없다.

상진은 쿡쿡 웃으며 좀 있다 다시 하겠다고 말하며 전화를 끊었다.

그녀가 말한 커피집을 찾는 건 어렵지 않았다. 아주 작은 가게였지만 빨간 출입문이 금방 눈에 들어왔고 외관만 봐도 커피가 맛있을 것 같았다. 방울 소리 들리는 문을 열고 들어서자 깊은 커피 향이 온몸을 감쌌다. 가게는 텅 비었고 음악 소리가 낮게 흐르고 있었다. 안쪽에서 일하던 주인이 앞치마에 물기를 닦으며 그를 맞았다. 주인은 상진과 또래로 보이는 젊은 남자였다. 상진은 오늘의 커피를 주문하고 십 분 후 샷 추가한 카페라테도 만들어달라고 했다. 커피콩이 갈리는 소리가 들리고 커피가 방울방울 떨어져 내리는 모습이 보였다. 잠시 후 주인은 아담한 흰 잔에 담긴 검은 커피를 가져다주었다. 한 모금 마셨다. 맛있었다. 상진은 입안에 감도는 향을 음미한 후 다시 한 모금 마셨다.

  - 친구가 이 집 커피가 맛있다고 알려줘서 왔는데 정말 좋습니다.

  - 그런가요. 감사합니다.

  - 이렇게 눈이 오면 손님이 많은가요? 아니면 오히려 적은가요?

  - 글쎄요, 오늘은 별로 없었어요.

  상진은 잔에 남은 커피를 또 마시고 말했다.

  - 눈이 오니까 오늘 하루에 굉장히 많은 일을 한 것 같은 기분이 듭니다. 전 오늘까지 연차인데 놀 때는 시간이 잘 가잖아요.

- 따뜻한 봄에 눈이 오니까 전 오히려 현실감이 안 드네요.

- 저는 이 동네가 실감이 안 나요. 현실감이 안 들어요.

- 이 동네 안 사시나 봐요.

- 친구를 만나러 왔어요. 한 시간 넘게 운전해서요.

- 이런 날에 운전해서 여기까지 오다니 친한 친군가 봐요.

- 네. 제가 우울증 약 먹는 걸 아는 유일한 친구죠.

- 아, 제 친한 친구 중에도 프로작 먹는 친구가 있어요.

카페 주인은 뭔가 좀 아는 사람이었다. 그의 태도는 뭐랄까, 취향이나 취미를 말할 때와 같이 가벼웠다. 이를테면 '제 친구도 서핑 마니아예요!'라고 말하는 듯한. 상진이 주인을 향해 배시시 웃으며 말했다.

- 프로작이 유명하긴 하네요. 전 그게 안 맞아서 다른 약으로 바꿨어요, 어제.

- 그러시군요. 이번에 효과 좀 보시길요.

- 눈이 오니까 말을 많이 하게 되네요.

- 그럴 수 있죠.

주인이 카페라테가 담긴 컵을 건넸고 상진은 계산을 하고는 서둘러 방울 소리 들리는 출입문을 열고 나왔다.

현관문이 열렸다. 따뜻한 실내에서 음식 냄새와 세탁세 재 냄새 그리고 아몬드 냄새 따위가 섞인 복잡한 냄새가 훅 밀려 나왔다. 흰색 헐렁한 티를 입은 이안이 부스스한 얼굴을 내밀었다. 붓기는 많이 빠졌고 예전보다 말라 보 였다. 반년 만에 보는 얼굴이었다. 흰 티셔츠에 누런 얼룩 자국이 보였다. 그녀는 오후에 갈아입은 옷이 또 이 꼴이 라며 쑥스러워했다.

집 안 모습은 좀 실용적이었다. 꼭 필요한 것 외에 장식 이 없었다. 더할 나위 없이 깔끔했지만 또 어딘지 모르게 허전해 보였다. 이혼하고 임신하고 출산하고 갓난아기 를 양육하는 동안 일 년이 지나갔다. 스산함이 어깨너머 로 스쳐 지나갔다. 그런 시간을 보내는 그녀가 삶에 장신

구를 매달 여력은 없어 보였다. 그가 카페라테를 내밀자 받아든 이안은 잠시 망설이다가 마시고는 너무 맛있다고 했다.

이케아에서 구매한 듯한 소파에 앉았다. 소파 양쪽으로 아기 기저귀와 아기 옷 같은 것이 쌓여 있었다. 그는 안방 문을 조심스레 열어 잠든 아기를 슬쩍 보았다. 아기 때문인지 실내는 조금 덥고 습했다. 작은 거실과 방에 놓인 가습기에서 수증기가 피어올랐다.

- 나, 커피 마시면 안 돼. 아기 수유해야 하거든. 그래도 오늘 밤은 조금 마실래.

- 조금은 괜찮지 않을까.

- 지금 잠들었으니까 중간에 깨지 않고 아침까지 젖 안 먹여도 된다면. 아니다, 갓난쟁이도 커피맛을 조금은 알아야 해. 인생이 커피처럼 쓰다는 걸. 안 그래?

상진은 쿡쿡 웃었다. 이안의 매력은 이런 것이었다. 어떤 상황에서도 이따금 농담을 할 수 있다는 것. 그녀가 샌드위치와 우유를 쟁반에 담아왔다. 저녁 식사를 걸러서인지 맛이 괜찮았다. 그녀는 아끼듯 조금씩 커피를 홀짝 였다.

 - 조금 전에 뉴스를 봤는데, 히말라야 안나푸르나에서 한국인 두 명이 조난됐대. 경부고속도로에서 6중 충돌 사고로 한 명이 사망하고 다섯 명이 중상이래고.

 - 갑자기 눈이 오니까 사고가 많겠군.

 - 그렇겠지. 오늘 죽는 사람은 사월에 내리는 눈 때문이야.

이안의 말이 억지는 아니었으나 그는 대답하지 않았다. 그녀도 딱히 답을 기다리는 건 아니었다.

 - 밤에 뉴스를 보면서 살인사건이 발생했거나 오늘처럼 누군가 조난당한 소식을 들으면 비로소 하루가 지나갔다는 실감이 나. 이거 좀 이상한 거지?

 - 아기 때문에 아무것도 못 하고 집에만 있어서 그럴 거야.

 - 그럴까.

 - 그럴 거야.

상진이 이안을 살짝 안아서 등을 두드렸다. 그녀의 가슴에서 희미하게 땀 냄새와 함께 젖 냄새가 났다. 아기의 위장에 들어갔다가 토해낸 시큼한 냄새였다. 그런데 냄새가 싫지 않았다. 어린 시절 할머니 집에 늘 떠돌던 어떤 냄새와 흡사했다. 조건 없는 사랑의 냄새. 이안이 그의 품을 벗어나 그의 눈을 바라봤다.

 - 넌 말을 너무 안 해. 나에게도 너무 말을 아꼈어. 근데 내가 너를 미워하지 않는 건, 네가 너 자신에게도 너무 말을 안 한다는 걸 알게 돼서야.

상진은 머리를 숙였다. 할 말이 없었다. 배꼽이 아렸다. 탯줄을 잘라 본 이안은 자신과 대화를 할 줄 아는 사람이 돼 가고 있었다. 그녀가 일어나 창밖에 쏟아지는 눈을 쳐다보았다.

 - 눈, 참 열심히도 온다. …… 안방에 곤히 잠든 내 아기가 나는 지금 내리는 눈 같아.

아기와 눈은 어쩐지 잘 어울리는 조합 같았다. 상진에게는 둘 다 현실감이 없는 가상현실 같다는 공통점도 있었다.

- 나는 사실 그냥 그렇게 살려고 그랬어. 일할 때 일하고 쉴 때 쉬고 재밌는 일 있으면 웃고. 그런데 요즘은 그게 다가 아닌 거 같아.

- 그럴 거야. 그게 다는 아닐 거야.

상진은 손발을 씻고 안방으로 들어갔다. 수유등만 켜진 방에 이안이 아기 쪽으로 누워 있었다. 사방이 쿠션으로 막힌 널찍한 침대에 아기가 쌕쌕거리며 깊이 잠들어 있었다. 그가 침대로 들어가 이안 옆에 누웠다.

그녀의 목 언저리가 창 밖에 내리는 눈처럼 새하얬다. 그는 눈부신 듯 바라보다 이안의 목을 이로 지그시 누르고 살짝 깨물었다. 이안의 흰 목덜미가 부르르 떨렸다.

- 드라큘라 이야기가 오래 살아남은 이유를 알 거 같아. 명치끝이 시리도록 섹시해.

상진은 이안의 목에 코를 박고 웃었다. 이안이 몸을 돌려 그를 껴안았다.

- 성인이 된 후에 여자한테 안겨본 적은 없지?

- 아마도.

그는 이펙사 먹는 걸 잊었다는 걸 알았지만 오늘 하루
는 건너뛰기로 했다. 다음 연차에는 이안을 데리고 그가
다니는 병원에 가야겠다는 생각을 했다.

- 다음에 말이야, 시간 내서 내가 상담받는 병원에 가자.

그녀는 말이 없었다.

- 별 거 아니야. 감기 들면 감기약 먹는 거나 같아. 그
렇게 생각하면 간단해.

조만간 다시 연차를 낼 것이다. 상진이 상담받는 여의
사는 주말에 일하지 않았다. 연차를 쓴다면 여름휴가가
짧아져서 팀장이 좋아할 것이다. 잠깐 사이 이안은 낮게
코를 골고 있었다. 하루 종일 젖을 먹이고 갓난애에게 시
달린 그녀는 벌써 잠이 들었다. 상진은 몸을 돌려 똑바로
누웠다. 방안에 희미하게 젖 냄새가 떠돌았다. 커튼 사이
로 이제는 가늘어진 눈발이 보였다.

그는 일어나 조용히 커튼을 여몄다. 거의 완전한 어둠
이 찾아왔다. 어스름 속에 쌓인 눈뭉치 같은 그녀의 실루

엣을 설핏 보며 그는 잠이 들었다. 젖 냄새 감도는 무중력

같은 어둠이 현실이었다.

부드러운 미소

봄이 와버렸다. 고층 아파트 단지들을 에워싼 산이 흐리멍덩한 색조로 뒤덮여 숨이 막힐 것만 같다. 팔차선 도로 사이로 대단지 아파트들이 설계모형들처럼 조신하게 늘어서 있는 H 신도시. 이 도시 전체가 봄이 몰고 온 달착지근한 기운에 술렁이고 있는 낌새를 나는 감지할 수 있다.

일직선으로 쭉 뻗은 도로변에 덜 자란 가로수들이 일정한 간격으로 박혀 있고, 번들번들 광나는 자가용들이 부연 봄볕을 헤치며 달려간다. 엄마들은 중심가 쇼핑몰을 향하고 있을 것이다. 브런치, 블라우스, 블라인드……. 자동차들을 좇으며 단어들을 떠올리는데 현기증이 핑 돌

며 시야가 노랗게 흔들린다. 봄볕이 너무 뜨겁다. 교실 창
문 앞에 앉아 한참 동안 밖을 내다보고 있었더니 머릿속
이 아지랑이가 스며든 듯 어지럽다.

종례시간이 되어도 담임이 오지 않자 애들이 날뛰고 있
다. 서른 명이 동시에 목청껏 떠들어대는 소리로 교실이
들썩인다. 텔레비전 리모컨을 잘못 건드려서 볼륨이 엄청
나게 커졌을 때처럼 귓속이 윙윙댄다. 목구멍까지 종이를
구겨 넣은 듯 가슴이 답답하다. 대체 담임은 왜 안 오는
건지 짜증이 치민다. 얼른 담배나 한 대 빨았으면 좋겠다.

지겨운 삼 일간의 중간고사가 끝난 2학년 6반 교실에
는 비등점에 달한 아이들의 스트레스가 끓고 있다. 경쟁
하듯 내뿜는 고함 소리가 넘쳐흐른다. 늘 그렇듯 애들은
학교에서 스트레스를 푼다. 그들이 마음 놓고 아이의 모
습을 연기(演技)할 수 있는 공간이 학교뿐이기 때문이다.
학교만 벗어나면 엄마가 짜놓은 시간표 속에 자신을 구
겨 넣어야 하는 아이들에게 생각은 금지다. 생각은 엄마
들이 한다. 에고를 뻐꾸기 둥지 위로 추방시켜야만 해가

지고 밤하늘에 별이 뜬다.

시험이 끝나서일까, 오늘따라 애들 행동이 우스꽝스럽다. 고등학교가 아니라 초등학교 같다. 남자애들 여럿이 바닥을 쿵쾅거리며 뛰어다닌다. 이유는 알고 싶지도 않다. 서너 명의 녀석들이 소리를 지르며 게임 시디를 공중으로 던지며 주고받는다. 시디를 뺏긴 왜소한 녀석은 징징거리며 쫓아다닌다. 악취 풍기는 동물원 우리 안에서 앙앙거리는 아프리카 원숭이가 떠오른다. 당연한 절차인 듯 결국 시디가 벽에 부딪혀 박살 났고 쌍소리가 오갔다. 야, 새꺄. 임마, 네가 잘못했잖아. 뭐? 저 새끼 졸라 웃기네. 반장인 두빈이의 낮은 저음이 끼어든다. 야, 거기, 조용히 해. 두빈이의 말 한마디가 원숭이들 틈을 비집고 들어가 우뚝 서는 것만 같다. 녀석들이 슬금슬금 물러나 제자리에 앉는다.

이상하게 여자애들은 호들갑을 떨어도 남자애들처럼 우스꽝스럽진 않다. 여럿이 둘러앉아 잡지나 화보 따위를 펼쳐놓고 까르륵 까르륵 금속성 웃음소리를 토해낸다. 좋아하는 아이돌 그룹으로 적과 동지를 구분하고 저희들끼리 모인다. 그리곤 마치 신성한 종교집회라도 여는 양 비밀스럽게 수군거리며, 열광적으로, 때론 엄숙한 얼굴로 자매애를 다진다.

여자애들이 수다스런 척하고 남자애들이 애써 거친 척하는 행동은 재미없는 웹툰을 들여다볼 때처럼 내겐 싱겁고 뻔하다. 그러나 그들의 서툰 몸짓이 타인에 대한 보호색이자, 동시에 자신을 위한 자위행위라는 사실을 나는 진작부터 깨닫고 있었다. 그래서인지 아이들에겐 코미디 프로에 삽입된 가짜 웃음소리처럼 어설픈 싸구려 냄새가 난다.

종례가 끝나자 아이들이 우우 몰려나간다. 가방을 메고 있는데 두빈이가 어깨를 툭 친다. 시험 잘 봤어? 뭐 그냥 그런대로. 넌? 나도 뭐 대충. 녀석의 '대충'이라는 말은 언제나처럼 일등을 할 것 같다는 뜻이다.

과학관은 교실과 교무실이 있는 건물과 가장 동떨어진

곳에 있다. 우리 학교가 시교육청 지정 과학 모범 학교가 된 후 짓기 시작해 최근에 완공한 건물이다. 얼마 전까지 만 해도 쓰다 남은 목재 더미와 깨진 타일 조각 따위들이 널브러져 있고 마무리 공사로 인부들이 들락거렸기 때문에 아이들은 얼씬거리지 않는 장소였다. 과학관 뒤편 어슴푸레한 공터는 깊은 밤 잠 속으로 빠져들어 가는 길목처럼 느른하고 눅진하다. 시멘트 담벼락에 철책을 두르고 있지만 기슭이 토막 난 야산에서 선선한 바람이 불어와서 담배 연기가 빠르게 흩어졌다.

우리는 가방을 아무렇게나 던지고 털썩 주저앉았다. 건물 벽에 등을 기대고 앉아 담배를 물고 연기를 깊숙이 빨아들였다. 이번 시험 일등 놓치면 내 꼴 우습게 되겠지. 두빈이가 흥얼거리듯 말했지만 상황을 알고 있던 나는 잠자코 있었다. 작년 겨울 성형외과 의사인 두빈이 아버지는 성적이 떨어졌다고 잔소리를 하다가 두빈이가 대들자 거실에 장식처럼 세워둔 최고급 골프채로 아들을 때렸다. 한밤중에 앰뷸런스가 출동해서 아파트 단지에 소문이 퍼졌고, 901호 여자가 끔찍하다며 엄마에게 소곤대는 말을 나도 들었다. 병원을 찾아간 내게 두빈이는 제정신이 아닌 아버지가 멍청하게도 두서없이 무기를 휘둘렀다며 웃었다. 그때 나는 군인인 아버지와 떨어져 산다는 사실에 처음으로 밤하늘 별님에게 감사의 기도라도 올리고 싶었다.

야, 골빈당. 호들갑 떨지 마. 너만 그런 것도 아니잖아. 내가 위로랍시고 한 말에 비누처럼 맨질맨질한 두빈이 얼굴에 어울리지 않는 쓴 미소가 올라온다. 무슨 말인지 너도 알잖아. 할 말이 없어 나는 입에 담배 한 개비를 더 문다. 오늘따라 뒷산에서 바람도 불지 않았다. 두빈이 역시 새로 담배를 입으로만 물고는 기다란 양팔을 힘없이 무릎 위에 걸친다. 우리 둘의 담배 연기가 공중에서 휘청거린다.

오늘은 학원 안 가도 되고, 과외 선생도 없으니까 우리 집에 가자. 집 비었어. 뭐 하게? 알면서 뭘 묻냐? 어렵게 다운받아 놓은 야동을 보자는 것이다. 일 년 전 녀석이 아버지 서재에서 두꺼운 의학 백과사전 케이스에 든 시디를 발견했을 때, 시디에 알파벳 S가 적혀 있었다며 자명종처럼 숨넘어갈 듯 웃던 두빈이의 얼굴이 떠오른다. 골빈당은 아버지를 저주하기 위해 포르노를 보는 것인지도 모른다. 나도 그러고 싶긴 하지만 마미 때문에 어렵겠다. 우리 마미가 어떤지 알잖아. 학교에서 학원가는 데 십오 분, 학원에서 집에 오는 데 이십 분, 이런 식이잖아. 지금도 아마 시간 분해하다가 담임한테 전화했을지도 몰라. 우리 마민 특별해. 지긋지긋하지.

그런 엄마를 상대하려고 잔머리를 잘못 굴리면 오히려 당하는 수가 있다. 이럴 땐 고분고분한 척하면서 모성애를 역이용하는 게 차라리 낫다. 따지고 드는 엄마에게 핑계를 늘어놓는 것보다 아이처럼 말하는 게 유리하다는 뜻이다. 왜 삼십 분이나 늦었냐고 하면 배가 너무 고파서 떡볶이를 먹었다고 하는 게 최상이다. 엉뚱하게 둘러대는 것보다 천진난만한 척 응수하는 것이 먹힌다는 것이다. 아직 엄마가 얼마든지 컨트롤할 수 있는 어린애로 남는 것이 신상에 편하다. 내가 정작 두려운 것은 입을 꾹 다물고 나를 바라보는 엄마의 눈빛이다. 꿰뚫을 듯한 엄마의 눈에서 센서가 작동하기 시작하면 나는 이유 없이 주눅이 들었다. 만들어서라도 잘못을 읊어대야 할 것만 같았다.

한 달에 한 번씩 미쳐도 되는 날이 있었으면 좋겠어. 기집애들은 핏덩이를 몸 밖으로 배출하니까 시원하겠지. 두빈이 녀석이 별 싱거운 소리라는 듯 피식 웃고 만다. 여자애들은 생리를 시작하면 평소엔 쨍쨍거리던 입을 닫는다. 단단한 조개껍질처럼 입술을 앙다물고 있어서 머릿속으로 무슨 음모를 꾸미는지 도무지 알 수가 없다. 그런 여자애들이 엄마가 되는 것이다.

나이키 운동화 뒤축으로 꽁초를 뭉개고 침을 뱉었다. 끈적한 타액 옆으로 우동 가락만 한 굵은 지렁이가 지나간다. 나와 두빈이는 쭈그리고 앉아 한참 동안 지렁이가 다갈색 몸통을 꼬물거리며 움직이는 것을 지켜보았다. 야들야들한 표피에 잎맥처럼 새겨진 몸테가 그 여자의 입술 주름을 떠올리게 했다.

901호 여자가 나를 남자로 느낀다는 사실을 엘리베이터 안에서 알게 되었다. 며칠 전 일층에서 엘리베이터를 기다리고 있을 때 외출하고 돌아온 여자와 맞닥뜨렸다. 삼십 대 초반인 여자는 속이 언뜻 비치는 마요네즈색 캐미솔 원피스를 입고 있었다. 나는 그냥 고개만 까딱할 수밖에 없었다. 꿈속의 얼굴 없는 여자들의 모습과 오버랩돼서 쳐다볼 수가 없었기 때문이었다. 학교에서 오는 모양이구나. 여자가 나를 바라보며 말했다. 아, 달콤하고 쌉싸름한 목소리. 여자의 카푸치노 같은 목소리를 마시고 싶다는 충동에 휩싸였다.

엘리베이터 문이 열리자 여자는 성큼 안으로 들어갔다. 다리가 약간 후들거리는 것을 느끼며 따라 들어갔다. 엘리베이터 안에 다른 사람은 없었다. 그때 내가 왜 그랬는지 모르겠다. 나는 여자의 등 뒤로 다가가 꼭 한 뼘 거리를 두고 서버렸다. 무슨 생각이 있어서가 아니었다. 그

엘리베이터 안에서 생각이란 놈은 있을 수가 없었다.

문이 닫히자 갑자기 공기가 팽팽해지고 긴장감이 버쩍 죄어들었다. 단단히 말아 올린 여자의 머리 아래, 가늘고 투명한 목덜미에 빳빳하게 힘줄들이 일어서고 좁은 어깨가 움찔거리는 것을, 나는 놓치지 않고 두 눈으로 똑똑히 보았다. 내가 더이상 어린애가 아니라 남자라는 것을 여자가 본능적으로 깨달은 순간이었다. 물구나무를 선 것처럼 피가 쏠렸다.

이상하게 그 순간 나는 통쾌했다. 마치 기포가 톡톡 쏘는 콜라를 단숨에 들이켰을 때처럼 속이 뻥 뚫리는 기분이었다.

엘리베이터 안에서의 시간은 십여 초에 지나지 않았다. 진실은 십 초 이내의 영역에 깃들어 있다. 그 후엔 가짜다. 십일 초부터 마음의 각질이 두꺼운 인간은 위선의 껍질을 두르고 얇은 인간은 연기(演技)라는 속이 뻔히 비치는 반투명 옷을 걸친다. 우리 반 아이들처럼.

마주보고 있는 901호는 우리 집과 같은 평형에 방의 배치와 거실이나 화장실, 부엌 따위의 내부구조도 같다. 이렇게 똑같은 구조라고 해도 집집마다 분위기가 다르기 마련인데, 901호는 우리 집과 분위기가 너무 비슷했다. 지난가을 처음으로 옆집에 들어갔을 때 느껴지던 분위기에 사실 조금 놀랐고 어쩐지 서글프기까지 했다.

엄마가 집에서 모임을 갖는다고 출장 뷔페까지 불러다 법석을 떨던 날이었다. 긴 탁자 위에 음식들이 늘어서 있고 십여 명의 아줌마들이 한꺼번에 떠들고 있었다. 여자들은 입으로 음식을 먹으면서 동시에 지껄이고 웃어댔다. 나는 정신도 없고 그 자리가 불편했다. 게다가 아줌마들이 하나씩 돌아가며 해대는 아무 뜻도 없는 흰소리는 정말 짜증스러웠다. 어머, 자기 아들 잘생겼네. 공부도 잘하게 생겼고. ……키도 크고, 훤칠하니, 자긴 정말 좋겠다. 여자 친구도 있겠는 걸……. 눈치 빠른 엄마가 내 표정을 살피곤, 음식을 주섬주섬 챙겨서 901호에 갖다주고 두빈이네 가서 한 시간만 놀다 오라고 했다. 엄마는 전교

일등인 두빈이가 완벽한 모범생이라고 여겼다. 나는 다행이다 싶어 거실을 가득 메우고 있는 아줌마들을 향해 수줍은 척 엉거주춤 고개를 꾸벅 숙였다.

901호 초인종을 두 번이나 눌렀지만 답이 없었다. 세 번째는 벨을 오랫동안 눌렀다. 누구세요. 거실에서 문을 향해 말하는 여자의 목소리가 동굴 속에서 말하는 것처럼 낮게 울렸다. 저어, 902혼데요. 버튼 해제음이 울렸다. 내가 들어섰을 때 실내는 터무니없이 어두웠다. 한낮에서 갑자기 한밤중으로 건너뛴 것 같았다. 눈을 몇 번 껌벅이자 익숙한 공간이 시야에 들어왔다. 전등이 모두 꺼져 있고 암막 커튼으로 햇빛을 가린 모양이었다. 일요일이지만 남편은 없는 모양이었다. 괜찮아, 어서 들어와. 여자가 다시 말하지 않았더라도 나는 무언가에 이끌리듯 실내로 들어갔을 것이다. 그 상황은 이따금 꾸는 꿈속 분위기와 흡사했다.

어둡게 있고 싶은데, 불 안 켜도 괜찮지. 여자는 소주를 마시고 있었다. 눅눅한 어둠 속에 술 냄새가 향내처럼 퍼져 있었다. 거실 바닥엔 소주병과 머그잔이 놓여 있었고 레깅스를 입은 여자의 가느다란 다리가 힘없이 늘어져 있었다. 너한테 이런 모습을 보여서 어쩌지. 어른들은 술 마시고 싶을 때가 있단다. 여자는 고꾸라진 머리를 힘겹 게 일으켜 세우고 나를 바라보았지만 초점이 맞지 않자 다시 머리를 떨구고 술을 마셨다. 낮에 술 취한다고 잘못 은 아니잖아, 아냐, 너도 술 마시고 싶을 때가 있을 거 아 냐? 나는 대답하지 않았다. 확 취해버리고 싶을 때가 있 을 거잖아, 안 그래? 당연한 거 아닌가요. 나는 짐짓 목소 리를 깔았다. 여자가 나를 어린애 취급하는 게 싫었다. 난 말야, 너어무 따분해. 여자가 손을 들어 공중을 휘휘 저었 다. 여긴 너무 조용해. 아무 일도 일어나지 않아. 바람도 안 불어. 여자가 설핏 웃는 것도 같았다. 너와 내가 살고 있는 이 공간은 썩어가고 있어. 알아? 고인 물이 썩듯이 우리가 썩고 있다고, 알아? 나는 고개를 까딱해 보였다. 무슨 말인지 잘은 모르지만 그냥 느낌으로 알 것 같았다. 적어도 썩어간다는 것, 우리 모두가 썩어간다는 게 마음에 들었다. 거멓게 고여 있는 어둠 속에서 여자와 내 눈빛이 뒤엉켰다. 여자의 흐리멍덩한 눈이 내게 애원하는 말을 들었다. 나를 휘저어줘, 제발. 다리가 팽팽해졌다. 놀라고 당황해서 나는 밖으로 나와버렸다. 그날 나는 두빈이도 만나지 않고 혼자 쏘다녔다.

나른한 꿈속에 여자가 출현한 것은 그때부터였다. 새벽에 팬티가 젖은 것을 깨닫고 잠이 깼을 땐 이상하게도 몽정 속 여자의 얼굴이 901호 여자라는 확신이 사라져버렸다. 분비물이 몸 밖으로 빠져나오는 순간 얼굴이 증발해버리는 것 같았다.

일 년 전 엄마와 나는 이곳 H 신도시로 이사했다. 고등학교 입학을 앞두고 학군을 염두에 둔 엄마의 선택이었다. 군인인 아버지 때문에 여러 도시를 옮겨 다녔던 나는 이번만큼은 정착하기를 바랐다. 아버지와 떨어져 살게 되면서 엄마는 나를 더욱 닦달하기 시작했다. 아버지가 없으니까 더 신경 쓸 수밖에 없다고 엄마가 푸념하듯 늘

어놓곤 했지만, 내가 그 말을 곧이곧대로 받아들일 얼뜨
기는 아니다. 엄마는 늘 아버지의 표정을 살폈고 매사 아
버지의 허락을 받았다. 그러면서 동시에 내가 엄마를 대
하듯 아버지를 대했다. 순진한 척, 여린 척 연기를 일삼
았다.

내가 없는 낮 동안 엄마가 대체 무슨 일을 하는지 궁금
했던 적이 있었다. 호기심이라기보다 불만에 가까웠다.
내 행동반경에 대해 꿰고 있는 엄마에 비해 엄마에 대해
서는 아무것도 모른다는 사실에 울화통이 치민 적도 있
었다. 엄마의 사생활을 알아내려면 상상력이 필요했다.
이곳으로 이사 온 후로 엄마는 항상 바빴다. 모임만 해도
열 개가 넘었고, 친구들과 여행도 다녔고, 주말이면 아버
지에게 다녀와야 했다. 거실에서 들리는 통화 내용을 엿
듣고 엄마의 시간표를 퍼즐 조각 맞추듯 끼워 넣곤 했지
만 채워지지 않는 빈칸은 항상 남았다.

그리고 엄마는 언제나 나를 앞질렀다. 친구들과 게임을
하다가 모임에서 엄마가 돌아올 시간을 넉넉히 계산하고

집에 돌아오면 엄마는 보란 듯이 현관에 서 있곤 했다. 식
초처럼 시큼한 눈빛으로. 한 마디 한 마디 단어들을 물속
깊이 침전시키는 듯한 말투, 긴장감으로 딱딱하게 굳어
있는 어깨, 언제나 실리를 계산하는 듯한 악착같은 표정.
그런 엄마를 보고 있으면 말할 수 없는 피로를 느낀다.

엄마와 901호 여자는 지난겨울 일본 여행을 다녀온 후
급속도로 가까워졌다. 아버지와 며칠 동안 통화한 후 나
를 외가에 맡기기로 합의를 보고 엄마는 어렵게 허락을
받아냈다. 어른들은 왕왕 아이들을 집에서 키우는 애완
동물 취급을 한다. 자기 맘대로 가지고 놀다가 다른 관심
거리가 생기면 드러내놓고 귀찮아한다. 아버지를 떼버리
고 여행 가고 싶어 안달 난 엄마도 그랬다.

901호 여자 역시 며칠 동안 남편을 힘들게 설득해서
겨우 합류한 모양이었다. 엄마는 901호 여자와 통화한
후 융통성 없이 꽉 막힌 사내라고 혼잣말을 했다. 여자의
남편이라는 작자는 엘리베이터에서 몇 번 부딪쳐서 대충

분위기를 알만했다. 부모에게 물려받은 기계 부품 업체를 운영한다는 남자에게선 이제 겨우 삼십 대 중반의 나이인데도 벌써 중년의 비릿한 냄새가 났다. 회색 계통 양복을 자주 입는 살집 좋은 사내를 볼 때면 항상 떠오르는 것이 있다. 먹이가 있는 곳이라면 어디라도 비집고 들어오는 길거리의 피둥피둥 살찐 회색 비둘기.

살찐 비둘기를 쫓아버리고 여자는 엄마와 여행을 떠났다. 그 후로 둘이 남편 욕을 하면서 더 가까워졌으리라는 것은 충분히 짐작할 수 있었다. 그러나 내가 아는 것은 그것뿐이었다. 학교에서 돌아온 늦은 오후 엘리베이터에서 내리면 조용한 복도엔 엄마와 901호 여자의 기름진 중국 음식 냄새처럼 통속적인 웃음소리가 복도에 진동하고 있었다.

엄마는 외모에 딱히 변화가 없었지만 여자는 화려하게 변신했다. 번데기를 벗고 변태를 거듭한 여자는 봄이 되자 한 마리 부전나비가 되었다. 날개를 세우고 봄날 내리쬐는 햇빛의 애무를 받는 나비. 화려한 색조, 하늘하늘한

몸짓. 여자가 변했다는 것은 나의 더듬이가 감지했지만, 미려한 나비가 적의 시선을 교란하기 위해 날개의 비늘가루를 열심히 비벼대는 본능에 대해서는 알지 못했다.

오늘도 엄마는 언제나처럼 피곤해 보인다. 엄마의 예상 시간보다 삼십 분이나 늦었는데도 아무 말도 하지 않는 게 좀 이상하다. 엄마의 눈에서 작동하는 센서도 오프돼 있다. 시험 잘 봤느냐고 묻는 목소리도 착 가라앉아 있다. 네, 보통 때랑 비슷할 거 같아요. 믿어도 되지? 그렇다니깐요. 단호한 말투로 대답하면서 엄마의 얼굴을 살폈다. 아버지한테 전화해야겠구나. 아버지가 기다리실 거야. 긴장감이 풀린 듯 엄마의 목소리에 생기가 돌았다. 당분간 아버지에게 전화가 걸려오는 일은 없을 것이다. 엄마가 자신의 임무를 완수했으니까. 나 없다고 게임하지 말고 그동안 진도 못 나간 중국어회화 하고 있어. 엄만 볼일 좀 보고 올 거야. 늦어도 일곱 시까지 올 거니까 딴짓하지 말고. 엄마는 준비한 대답을 꺼내놓듯 말과 말 사이를 일정

64

한 톤으로 쉼 없이 이어간다.

식탁에서 엄마가 차려준 늦은 점심을 먹고 있을 때 외출 준비를 마친 엄마가 안방에서 나왔다. 일 년 전 내 성적이 가장 좋았을 때 아버지가 선물한 베이지색 정장을 입은 엄마는 현관을 나서다 말고 나를 돌아보았다. 엄마가 밖에서 수시로 확인 전화할 거야. 외출할 때마다 잊지 않고 덧붙이는 말이라 특별할 게 없었다. 아무것도 하지 않아도 되고 엄마도 없는 특별한 오후가 나를 기다리고 있었다.

오후 내내 채팅을 하고 성인 사이트를 돌아다녔다. 허리가 아파 의자에서 일어나 커튼을 걷고 밖을 쳐다봤다. 어느새 복병처럼 어둠이 깔려 있었다. 음산한 밤하늘에 붉은 복선이 스멀스멀 퍼져갔다. 붉은 노을을 바라볼 때면 뜨악한 기분이 들곤 했다. 엄마가 베갯솜에 넣어둔 부적을 처음 봤을 때처럼. 그리고 보니 엄마가 돌아오기로 한 시간이 지나 있었다. 집으로 전화도 걸려 오지 않았다. 내가 혼자 있을 때 엄마가 확인 전화를 안 한 적이 없었기 때문에 의외이긴 했다. 그렇지만 상관없었다. 혼자 있을 수 있다는 게 좋았다.

거실로 나가 집안의 실내등을 모두 꺼버렸다. 소파에 길게 드러누워 영화나 볼까 하고 리모컨을 집어들었다가 관둬버렸다. 그냥 이대로 어둠 속에 고요히 있고 싶었다. 완전히 깜깜하지는 않았다. 맞은편 아파트의 저녁 불빛이 베란다를 통해 들어와 거실을 안온하게 적신다. 태어나 처음으로 느껴보는 평화인 것만 같다. 머릿속이 텅 비어가고 뻑뻑한 육체가 담배 연기처럼 허공에 풀어져버리는 듯한 감각에 빠져들었다.

그렇게 잠이 들었다가 길게 이어지는 초인종 소리에 깼다. 엄마가 돌아왔나 보다. 검은 피아노 위에 놓인 시계를 보니 8시 42분을 가리키는 야광 숫자가 번들거리고 있다. 시간에 철저한 엄마에겐 꽤 예외적인 날이다. 누구세요? 습관적으로 문을 향해 묻는다. 어어, 나 901호야. 여러 개의 잠금장치와 걸쇠를 벗기는 동안 바깥의 여자는 아무 말이 없다. 어둠이 시간을 길게 늘어뜨리는 것 같다. 꿈속처럼 나른한 긴장감이 맴돈다.

현관에 들어선 여자가 불 꺼진 실내를 둘러본다. 엄마
지금 안 계세요. 목에서 잠이 덜 깬 듯한 목소리가 튀어
나왔다. 알고 있어. 엄마가 집에 전화했는데 네가 없는 거
같다고 가보라고 하셨어. 여자가 현관 앞에 놓인 실내용
꽃무늬 슬리퍼를 신으며 말한다. 그게 언젠가요? 글쎄,
한 시간쯤 됐나? 엄마가 저한테 전화했는데 제가 집에 없
었다구요? 전 계속 집에 있었어요. 벌써 아홉 시가 다 됐
네. 남편 저녁 준비하느라 시간 가는 줄도 모르고……. 여
자가 말을 얼버무린다. 나는 여자가 거짓말을 하고 있다
고 느낀다. 이 여자가 왜 거짓말까지 하면서 우리 집에 왔
을까 궁금해진다. 여자는 엄마가 집에 없다는 것을, 내가
어둠 속에 혼자 있다는 것을, 그 모든 정황을 알고 있었
다. 한동안 둘 다 말이 없었다. 후텁지근한 침묵이 꽉 들
어찼다. ……어두운데 왜 불도 안 켜고 있니? 스위치가
어딨더라……, 불 켜지 마! 나는 이렇게 말할 뻔했다. 불
켜지 마세요. 다시 잘 거예요. 턱없이 퉁명스럽게 말해버

리곤 화난 사람처럼 소파에 털썩 주저앉았다. 그래, 피곤하면 다시 자. 그리고 엄마 늦는댔어. 참, 저녁은 먹었니? 여자는 두서없이 떠듬거린다. 내가 고갯짓으로 가리킨 테이블 위에 컵라면 용기와 반찬 그릇 따위가 널려 있다. 여자가 그것들을 하나씩 부엌으로 옮긴다. 실내용 슬리퍼를 신었는데도 여자에게선 아무 소리가 나지 않는다. 부엌으로 옮겨지는 그릇들에서도 아무 소리가 나지 않고 어둠 속에 여자의 실루엣만이 어렴풋이 보인다. 나는 소파에 등을 기대고 앉아 초조한 마음으로 여자를 바라보았다. 마치 조명이 꺼진 연극무대 위에서 세트가 옮겨지는 약속된 속임수를 보면서, 다음 장에서 어떤 사건이 벌어질 것인지를 두근거리는 심정으로 무대를 바라보는 암전(暗轉) 속 관객처럼.

부엌에서 마른 수건을 가져다 테이블을 닦는 여자의 손가락들이 어둠 속에서 오물거린다. 나는 무대의 약속을 깨기 위해 천천히 일어나 다리에 힘을 주고 여자의 등 뒤로 다가갔다. 여자가 몸을 돌리려는 찰나, 여자의 몸을 완전히 틀어잡고 다른 손으로 머리를 움켜잡고는 입술을 눌러버렸다. 놀란 여자가 딸꾹질을 했다. 온몸에 힘을 실어 여자를 바닥에 넘어뜨리려 했다. 그러나 여자의 몸은 의외로 단단했다. 한순간 움찔하던 여자는 거센 힘으로 나를 밀쳐냈다. 어둠 속에서 증오를 담은 차가운 두 개의 눈동자를 느낄 수 있었다. 무슨 짓이야! 도대체, 니가, 니가……. 여자는 흥분해서 말을 잇지 못한다. 나는 아무 말도 하지 않을 작정이었다. 여자의 목에서 치매환자의 헛소리 같은 웅얼거림이 흘러나온다. 아아, 어떻게, 뭐 때문에……, 나한테……. 원하던 거 아니었어요? 따분하다면서요. 내숭 떨지 말아요. 당신에게서 그런 냄새를 맡았을 뿐이니까. 나는 입에 씹히는 대로 뱉어버렸다. 뜻밖에 여자는 프풋 가뿐하게 웃어버린다. 뭐? 너 아주 당돌하구나? 감히 어디서, 어린 게 겁도 없이. 넌 어린애일 뿐이야. 여자의 마지막 말이 내 입에 재갈을 물렸다. 여자는 아주 어른스런 말투로 말하고는 침착하게 거실을 걸어나갔다.

여자가 현관문을 나서려던 순간 적절한 타이밍을 가다렸다는 듯 요란한 휴대폰 벨 소리가 울렸다. 거실 테이블에 둔 여자의 것이었다. 여자는 빠른 몸짓으로 다시 걸어들어온다. 여보세요. 네, ……지금 없어요, 말씀하세요. 여자가 소파에 있는 내게서 등을 돌린다. 네? 지금? …… 뭐라구요? 잠시만. 여자가 스위치를 찾느라 허둥대다가 무언가 쿵 하고 떨어졌다. 아버지가 아끼는 드론이었다. 불행히도 깨지진 않았다. 드론이 깨져서 이 여자도, 엄마도 곤란해지는 게 좋은데 말이다. 여자는 드론을 집어 다시 피아노 위에 올려놓고는 손에 잡히는 빨간 펜을 들고 손바닥에 상대가 불러주는 것을 받아 적는다. 나는 재빨리 번호를 외웠다. 상대와 의사소통이 어려운지 여자가 짜증스런 음성으로 대꾸한다. 아, 거기, 알아요. 한 시간 정도 걸릴 거예요, 우선은 그냥 그대로 있어요.

이 모든 것은 순식간의 일이었다. 어둡던 실내에 켜진 밝은 불빛에 눈이 익숙해지는 정도의 시간이랄까. 여자는 현관을 나서기 전에 나를 돌아보았다. 여자의 표정이 밤하늘 구름처럼 움직였다. 내 머릿속도 전등처럼 팽팽하게 빛을 발하기 시작했다. 여자가 나가자마자 외워둔 번호로 전화를 걸었다. 지역번호로 봐선 한 시간 정도의 거리에 있는 M시인 것 같았다. 몇 번의 신호음이 울리고 저쪽 응답이 나온다. 네, 리버사이드입니다. 전화를 끊었다. 분명 러브호텔 따위의 이름인데 검색해봐도 홈피 따윈 없다. 거길 찾아갈 방법을 빨리 알아내야 한다.

901호 문에 귀를 대본다. 여자는 아직 출발하지 않은 게 틀림없다. 9시 뉴스 사이로 여자의 남편이 여자에게 고함치는 소리가 얼핏 들린다. 여자는 살찐 비둘기가 쪼아대는 소리를 한참 더 들어야 할 것이다.

아파트 입구에 대기하고 있는 중형차에 탔다. 운전석에 두빈이가 앉아 있었다. 두빈이는 시키는 대로 외제차가 아닌 좀 낡은 차를 끌고 나왔다. 눈에 띄지 않는 것이 좋았다. 녀석은 미국 살 때도 답답해서 아버지 차를 몰고 밤새 도로를 달리곤 했다. 녀석이 모는 차에 한 번 동승해

본 적이 있지만, 녀석의 운전 실력은 믿을만했다. 야, 뭐야. 이 밤에 어딜 가자는 거야. 녀석이 재밌다는 듯 씩 웃는다. 뭐 신나는 일 있냐. 차 안에서 상황 설명을 하자, 두빈이가 낄낄 웃어댔다. 우와, 재밌겠다. 추격, 스릴러에 로맨스까지 믹스된 거로군. 동영상이라도 찍어놓을까. 맘대로 해.

잠시 후 여자의 흰색 차가 나타났다. 늦은 시각이라 도로는 한적했고 여자가 속력을 내지 않아 따라가는 것은 어렵지 않았다. 두빈이를 시켜 전화로 장소를 확인했다. 굵고 낮은 목소리로 녀석은 느긋하게 정확한 위치와 길 안내까지 받아냈다. 뭔가 원하는 대로 돼가는 기분이었다. 마침 두빈이 아버지도 모임에 나가서 새벽에야 돌아올 거라 시간 여유도 있었다. 우리 꼰대 한 달에 한 번 가는 의사들 모임인데, 뭔가 썩은 내가 풀풀 나.

M시 외곽지대로 가는 국도로 접어들자 한치 앞을 가리는 안개처럼 어둠이 덮쳐왔다. 어둠에 웅크리고 있는 야산과 검은 나무들이 박제된 산짐승들처럼 음산한 기운을

내뿜고 있었다. 아무런 불빛도 보이지 않았다. 멀리 앞서 가는 여자의 흰색 소나타가 비추는 희미한 불빛에 우리가 끄달려가는 것만 같았다. 두빈이와 나는 어느 순간부터 말을 잊었다. 흡사 최면에 빠지듯 알 수 없는 힘에 이끌려 상상도 할 수 없는 세계로 가고 있는 것처럼.

우리가 도착했을 때 여자는 건물 안으로 들어가버리고 없었고 흰색 소나타만이 건물에서 새어나오는 여린 조명을 받고 있었다. 산 같지도 않은 산과 강 같지도 않은 강을 배경으로 러브호텔들이 늘어서 있었고, 음식점으로 보이는 허름한 식당 두어 개 말고 주위엔 아무것도 없었다. 불빛에서 멀리 떨어진 곳에서 시동을 끈 채 입구 쪽으로 시선을 두고는 조용히 무언가를, 무슨 일이 일어나기를 기다렸다.

한참이 지나도 여자에게선 소식이 없었다. 귤빛 알전구가 드리워진 흰색 건물은 어둠 가운데 무대의 스포트라이트를 받고 환각처럼 떠올라 있었다. 주위엔 검은 적막

만이 감돌았다. 소변 마려울 때와 같은 간질간질한 조바심이 몸을 타고 올라왔다. 더는 못 참겠다는 듯 두빈이가 입을 열었다. 뭐야, 얼마나 더 기다려야 해. 아버지 오기 전에 들어가야 하는데…….

입구로 하얀 봉고차가 들어선다. 봉고 차체에 '중앙병원'이라는 검은 글자가 붙어 있다. 두 명의 남자가 차에서 내려 천천히 걸어 들어간다. 저건 또 뭐야? 구급차잖아. 누가 또 나처럼 좆나게 맞았나 보지. 두빈이는 구급차에 과민반응을 보인다. 처음 여기로 올 땐 여자의 얼굴이 뭉개지는 것을 보고 싶다는 생각뿐이었다. 내가 여자에게 당한 것처럼. 꿈도 아니고 환상도 아닌, 컬러의 현실 속으로 흑백의 비현실감이 파고들어 목덜미가 서늘해진다.

다시 시간이 꽤 흘렀다. 두빈이는 휴대폰을 동영상 촬영 모드로 해놓은 채 좌석에 머리를 기대고 있다. 자동차 안 내비게이션에서 퍼진 희미한 불빛을 좇아 나방 한 마리가 차창에 몸을 툭툭 부딪는다. 희끄무레하고 두툼한 나방이 죽을 듯이 검은 유리에 제 몸을 치는 소리뿐, 바깥은 정적에 휩싸였다.

드디어 나타나셨군. 여자가 호텔 입구로 모습을 드러냈다. 여자의 양팔에 가방 두 개가 들려 있다. 눈에 익은 가방이었다. 이어 민간 구급대원 둘이 밀고 나오는 침상 위에 사람 하나가 누워 있다. 몸집이 작고 머리카락이 긴 것으로 보아 여자인 듯한데 어두워서 분간할 수가 없다. 이거 장르가 로맨스에서 미스터리 스릴러로 바뀌었군. 두들겨 맞은 거 같은데, 저 여잔 대체 뭐지? 남자가 누워 있어야 이야기가 떨어지는데, 여자란 말이지. 게다가 901호 여자도 아닌 제 삼의 여자. 이야기가 무지 흥미로워지는데. 얼굴을 당겨볼까. 푸르뎅뎅한 얼굴이라 알아볼 수가……. 녀석이 촬영을 중단하고 입을 다물었다. 녀석의 휴대폰을 빼앗아 퍼렇게 멍들고 찢어지고 부어오른 얼굴을 확인했다. 불쌍한 그 얼굴은 모를 수가 없는 얼굴이었다. 내가 언제나 낌새를 살피던 사람이기 때문이었다.

내가 멍해 있는 사이, 구급차는 사이렌을 울리며 그곳

을 빠져나갔다. 901호 여자도 병원까지 따라간 모양이었다. 두빈이는 묻지도 않고 급히 차를 돌렸다. 한참 동안 어둡고 휑뎅그렁한 공간을 달렸다. 어두운 나무와 어두운 집과 어두운 길이 있는, 아무것도 아니어서 꿈속 같은 공간이었다. 꿈속의 내가 속삭였다. 볼 건 다 보았다고.

국도로 들어선 후부터 두빈이는 늦었다가는 무슨 꼴 당할지도 모른다며 속력을 냈다. 그리곤 한참 동안 꼰대 욕을 해댔다. 부드러운 미소의 군주, 예의 바른 이중인격자, 친절한 사이코패스. 나는 두빈이가 나를 위로하기 위해 과장되게 떠들고 있다는 걸 알았다. 동영상을 내 휴대폰으로 전송하고 녀석의 휴대폰에 든 것을 지웠다. 두빈이를 못 믿는 것은 아니지만, 매사 깔끔한 게 서로에게 좋은 법이다. 이 동영상으로 뭘 어떻게 할지는 아직 모르겠다. 그렇지만 나는 지금보다 부드러운 미소를 띤 채 예의 바르고 친절해질 수 있을 것 같다.

자정이 가까운 국도엔 차가 별로 없다. 한참 동안 두빈이는 무시무시한 속도로 내달렸다. 어둠 속 저 멀리 차들이 정차해 있었다. 국도에서 고속도로로 진입하는 갈림길이 있는 지점이었다. 고속도로로 진입하던 과속 차량들 간에 사고가 난 모양이었다. 다른 길은 없었다. 꼼짝없이 길게 늘어선 차들 사이에 갇히자 두빈이가 투덜대며 차창을 열어 바깥 상황을 둘러보았다. 바깥바람을 쐬고 싶어 나도 차창을 내렸다.

무심결에 옆 차선의 검은 차를 본 나는 황급히 고개를 숙였다. 어두워서 잘 보이진 않았지만, 소형 드론을 본 것도 같았다. 아버지는 언제나 차량 뒷유리 쪽에서 보이도록, 드론을 안전대에 올려놓곤 했다. 아버지의 취미였다. 견인 차량들이 사고 차량들을 끌고 간 후 움직이지도 못하던 차들이 미끄러지듯 조금씩 움직였다. 검은 세단이 선명하게 보였다. 드론의 모습도 뚜렷해지고, 번호판도 보였다. 아버지의 차가 틀림없었다. 아버지는 이곳으로부터 200km 떨어진 부대에 있어야 했다. 엄마가 있던 러브호텔에서 십여 분 떨어진 곳에서 발견된 아버지의 검은 세단. 복잡한 퍼즐이 아니었다. 나는 얼른 차창을 올리고 다시 얼굴을 감췄다. 그리고 나도 모르게 몸을 떨었다.

맨드라미

망자의 얼굴은 무척 창백하고 또 평화로웠다. 그는 피를 토하고 죽었다. 더 이상 자신을 견디지 않아도 되었다. 내장 속에 고인 걸쭉한 덩어리를 쏟아내고 간 것일지도, 그럴지도. 검붉은 맨드라미를 토해내던 그때 곧바로 병원으로 갔더라면 살 수 있었을지도 모른다. 그는 혼자 있었고 홀로 피를 쏟으며 죽어갔다.

　연락을 받고 달려갔을 때 그는 이미 딱딱해져서 냉랭한 시체안치실에 누워 있었다. 가족도 보호자도 없었는데 그렇게 했다. 죽은 지 이틀이 지났고, 여름이었으며, 장례를 치르기 전에 시신이 부패할 수도 있었다. 몸에 말라붙었을 핏자국은 말끔히 지워져 있었다. 싯누런 몸에

선 알코올 냄새가 났다. 병원에서 소독액으로 닦은 냄새였으나 왠지 그의 내장에서 새나오는 냄새 같았다. 이치에 맞지 않는, 어리석은 착각이라는 걸 모르지 않았다. 심장이며 허파며 창자도 오래 전에 생명을 멈췄고, 살아서 고통스러웠던 간도 얼어붙었을 것이다.

그의 친구들은 많이 울었다. 그들은 울먹이며 이렇게 갑자기, 겨우 마흔을 넘겼는데, 라고 말했다. 그의 여동생은 통곡했다. 나와 그의 형은 눈물 한 방울 흘리지 않았다. 이 상황이 실감이 나지 않았다. 나는 빳빳하게 서서 조문객을 맞았으며 깍듯하게 인사를 치렀다. 그의 전부인과 아들은 끝내 나타나지 않았다. 그의 형이 이틀 동안 몰래 통화를 하는 눈치였으나 마지막까지 오지 않는 그들 때문에 내게 미안해했다. 미안할 일도 아니었으며, 내게 미안해할 일은 더욱 아니었다. 그들에겐 그들의 이야기가 있을 터였다. 사연 따위가 아니라도 나는 그들을 이해할 수 있었다. 그는 한없이 부드럽고 다정하다가도 이내 괴팍하고 사납게 돌변하곤 했다, 우리 인생이 그렇듯이.

장례식이 끝나고 며칠을 꼬박 누워 지내던 나는 무언
가 할 일이 남았다는 생각에 간신히 정신을 차렸다. 그가
남긴 그림들을 어딘가로 옮겨와야 했다. 다른 사람에게
빌려 쓰던 작업실이었으므로 그냥 두어서도 안 됐다. 서
울에서 차로 한 시간 반 남짓 거리였다. 뜨겁고 습한 여름
공기와 햇볕은 내게 아무것도 말해주지 않았다. 사람 하
나가 죽었다는 사실은 말할 것이 없는 일일지도 몰랐다.
파리끈끈이처럼 땀이 팔뚝에 들러붙었다. 차창을 닫고
에어컨을 세게 틀어 맨살에 진득하게 붙은 땀을 말려버
렸다. 사람 하나가 사라지는 일이 땀이 사라지는 일과 같
았다.

　주검이 발견된 상황을 보여주듯 시골집 현관문이 멍하
니 열려 있었다. 피에 젖은 몸이 현관문을 통해 급히 실려
나간 후 미처 닫지 못했으리라. 벌어진 문 앞에 나 역시
아둔하게 입을 벌린 채 한참을 멍하니 서 있었다. 이웃집
남자의 최초 발견, 다급한 전화, 구급차 사이렌소리, 신발
을 신은 채 들어간 사람들의 들것에 실린 그……. 군데군

데 뜯겨나간 방충망처럼 가슴에 구멍이 숭숭 뚫리는 기분이었다. 후회는 뜯긴 방충망처럼 쓸모없었다. 거실에 놓인 낯익은 꽃무늬 패브릭 소파가 멍해 보였다. 낡은 소파가 무슨 말인가 해줄 것 같아 한참을 바라보았다. 한때 그와 내가 사랑을 나누던 소파였다. 먼지와 찌든 때 범벅일 그것이 무슨 말을 해줄 리 없었다. 오래된 소파는 생기가 사라진 부부와 같았다. 온갖 감정이 덕지덕지 끼인 채, 놔두지도 버리지도 못하고 자리만 차지했다.

거실 벽 구석구석에 아무렇게나 걸린 그의 옷들이 개념예술 같았다. 누렇게 바랜 흰 러닝셔츠, 형형색색 물감이 묻은 남방, 무릎이 불룩 튀어나온 바지. 혼자 사는 남자에겐 터무니없이 큰 냉장고가 여전히 살아 있다는 듯 징징거렸다. 싱크대 배수구 거름망에 고인 음식물 찌꺼기가 삭아서 시큼한 냄새를 풍기고 있었다. 장수하늘소만큼 크고 두툼한 바퀴벌레가 한쪽 구석으로 급히 달아났다. 나는 놀라지도 않고 벌레를 잡을 생각도 없이 그저 바라보고 있었다.

그가 작업실로 썼던 방의 문을 열었다. 알싸한 물감 냄새와 함께 비릿한 냄새가 났다. 어두워 보이진 않았지만 짐작이 갔다. 전등 스위치를 켰다. 나는 검붉은 핏자국을 노려보았다. 그가 쏟아낸 핏물은 사방으로 퍼진 채 며칠 새 얌전히 굳어 있었다. 방바닥에 펼쳐진 피는 무한히 뻗어나가려는 형상이었다. 피의 액션페인팅이었다. 흩뿌려진 그것은 흡사 잭슨 폴락의 물감들처럼 우연을 가장한 필연 같았다. 휴대전화를 꺼내 사진을 찍었다. 그의 피였고 죽음의 추상이었다. 치마를 말아 쥐고 쪼그려 앉아 피를 들여다보았다. 응고된 피는 팔레트에 굳어 있는 물감처럼 쩍 갈라져서는 메마른 허무를 드러내고 있었다. 내 그림은 구상이 아니라 추상이야. 넌 알잖아, 다리를 건너 강으로 가려 한다는 걸. 죽어가면서 그는 검붉은 죽음의 추상을 남겼다.

그의 마지막 그림들이 벽을 에워싸고 있었다. 다행히 그림에는 피가 튀지 않았다. 방을 빙 두르고 서 있는 그것들은 흡사 죽음을 애도하는 추모객마냥 삶의 필연을 바라보며 묵묵히 서 있었다. 모두 검붉은 맨드라미들이었다. 크기와 모양과 각도와 배경이 다른 맨드라미들이었다. 이젤 위에도 검붉은 그것이 미완성으로 남아 있었다. 여러 겹 덧칠한 물감덩어리들은 핏덩어리처럼 보였다. 마지막 붓질이 맨드라미 꽃대 위 빽빽한 꽃들에서 멈춘 듯했다. 물감이 아직 덜 말라 만지면 보드라운 속살처럼 말랑말랑할 것 같았다. 언젠가 너의 작고 붉은 맨드라미를 그리고 말 거야. 가쁜 숨을 몰아쉬면서 그는 속삭였다. 뜨거운 입김이 귓가를 스친다. 뜨거운 숨으로 물감을 개어 맨드라미를 그리는 그가 떠올랐다. 기름한 마름모꼴 꽃 뭉치, 꽃대 위 징그럽도록 빽빽한 꽃들, 부숭부숭한 솜털들, 두툼한 융단 같은 주름, 닭 벼슬을 닮은 꽃. 우툴두툴한 질감과 폭신한 담요 같은 주름과 부숭부숭한 털을 묘사하기 위해 그는 피를 토하기 전까지 붓질하고 또 붓질했을 것이다. 아직 덜 마른 맨드라미가 그렇다고 말해주고 있었다. 이 기묘한 꽃에게서 그는 무엇을 본 것일까. 숨을 얻은 붉은 맨드라미는 방바닥에 흩뿌려진 피를 조용히 내려다보고 있을 뿐이었다.

　의학적으로 그는 간 때문에 죽었을 것이다. 마른 맨드라미꽃같이 거무죽죽한 간에서 식도로 불거진 혈관이 터졌을 거라고 사람들은 입을 모았다. 작년에 의사에게 경고도 받은 상태였다. 술을 끊어야 했지만 그는 폭음을 일삼으며 고통 받는 간이 꿈틀거리듯 몸을 뒤틀며 낄낄댔다. 설득하고 애원하고 악을 쓰기도 했지만 소용없었다. 모든 게 무용하고 헛됐다. 그럴 때면 서로에게 던지는 말은 그럴 수 없이 섬뜩했다. 지긋지긋하고 징그러웠다. 그의 형과 여동생은 내가 지난겨울부터 그를 떠나 있었다는 걸 알았지만 나를 비난하지 않았다. 그들도 그의 고약한 술버릇을 알았고 언젠가부터 그를 찾지 않았다. 한 번 술을 마시면 며칠이고 술을 마셨고 난폭해졌으며 폭언도 일삼았다. 술을 마시지 않을 때면 그는 조용하고 섬세하고 말수가 적었다. 이쪽과 저쪽을 오가는 사람을 견디려니 숨이 막혔다. 예전 아내는 십 년 가까운 세월을 견뎠다고 했다. 그는 징글징글한 자기 자신을 사십 년 넘게 견디고 있으니 너도 견디라고 뇌까리다가, 다음날이면 내가 죽어야 네가 편해지니 내가 어서 죽기만을 바라라고 소리치기도 했다. 술이 취하면 서슴없이 그런 말을 했다. 피가 아닌 알코올을 먹어야 사는 흡혈귀 같아 무섭고 징그러웠다. 사랑하지 말라는 오래 전 문구가 뼛속까지 스며들었다. 나는 겨우 이 년을 버텼다. 끝없이 반복되는 생활에 지치고 몸서리가 났다. 이따금 눈빛이 번득이는 그를 상대하는 것도 무섭고 징글징글했다.

생활이 이렇다보니 글을 쓸 수 없어서 더욱 견디기 힘들었다. 일 년 전부터는 한 편의 글도 쓰지 못했다. 일주일에 한 번 출근하던 출판사 기획일도 끊겼다. 모든 게 엉망이었다. 생활은 술 냄새를 풍기며 휘청거리고 있었으며, 그 모든 곤궁의 중심에 서 있던 그는 술에 취해 어김없이 낄낄거리고 있었다. 견디다 못해 짐을 싸 친구의 집으로 들어갔지만 그렇다고 마음이 편하지도 않았다. 그는 이따금 만취한 상태로 전화를 걸어 무섭다고 했다.

뭐가 무섭냐고 물으면 모든 게 무섭다고 했다. 사는 게 무섭고 또 이대로 죽는 게 무섭다고 했다. 나도 사는 게 무섭고 아무것도 못하고 그냥 죽는 것도 무서웠다. 그는 혼자 사는 것도 무서웠을 것이다. 피를 토하면서 홀로 죽어가면서 그는 얼마나 두려웠을까. 그것은 어쩌면 오랫동안 술로 잊으려 했던, 내성 깊은 무서움이었을 것이다.

주검은 며칠 전 저녁 무렵 발견되었다고 한다. 가끔 바둑을 두러 오던 이웃집 남자가 아니었더라면 더 늦어졌을지도 모른다. 죽어가던 그가 어떤 얼굴이었고 무슨 생각을 했으며 어떤 단말마의 말을 남겼는지는 알 수 없었다. 어느 한 지점에서 삶은 정지(靜止)되었다. 바둑알이 놓이기 전과 같은 정적이 주검을 에워쌌을 것이다. 수많은 죽음이 그렇듯 그의 죽음은 정지의 한 점에 놓여 있다, 바둑판 위에 놓인 차가운 바둑알처럼. 가로 세로 시공의 한 점에 놓인 죽음은 그러나 물릴 수 없다. 죽음의 첫 수가 놓인 이후 남은 사람에게 그것은 무궁하게 뻗어나가려 한다, 궁극(窮極)의 집을 지으려. 검은 돌이 놓인 이후 나는 쩔쩔매며 검은 돌을 상대해야 한다. 살아 있는 나는 검은 집에 대항하며 흰 집을 지어야 하는 걸까. 그래서 나는 지금 여기 주검이 놓였던 이 공간에 와서 그의 맨드라미 앞에 서 있는 걸까.

궁극의 한 점에 맨드라미가 고요히 놓여 있다. 바둑알이 놓인 지점에 맨드라미가 놓여 있는 것이다. 그러므로 맨드라미를 나는 알아야 한다. 기름한 마름모꼴 꽃 뭉치, 꽃대 위 징그럽도록 빽빽한 꽃들, 부숭부숭한 솜털들, 두툼한 융단 같은 주름, 닭 벼슬을 닮은 꽃.

내게 저 징글맞은 꽃에 대한 기억이 있던가. 머릿속을 캐내려 한다. 꽃 뿌리처럼 가늘고 연약한 뇌 속 핏줄들이 파르르 떨림과 동시에 이내 인상 하나가 달려 올라온다. 수많은 잔상의 흙들이 바스스 떨어져나가고 연한 고갱이가 드러난다. 그랬다, 무수히 뻗어나가는 기억의 바둑판 어딘가에 맨드라미가 괴괴히 머리를 들고 서 있었다.

낡은 슬레이트집이 있고 누런 장판이 울룩불룩 덮인 마루가 있고 어두침침한 부엌이 있고 약 냄새 가득한 방이 있고 할머니가 있고 아버지가 있고 그리고 예닐곱 살의 내가 있다. 깊이 병든 아버지는 내내 누워 있고 말수 적은 할머니는 조용히 앉아 있다. 그리고 마당에는 꽃이 있다. 용담과 작약과 패랭이와 맥문동과 과꽃과 채송화와 나팔꽃과 해바라기와 그리고 맨드라미가 있다. 그 속에 단조로운 시간들이 있었다. 시간들은 햇볕이나 바람이나 구름처럼 느리게 이리저리 몰려다녔다. 나는 늘 혼자 놀았다. 단조로움이 짙어지면 시간이 바람과 햇빛과 그늘을 빨아들였다. 단순한 시간은 흡사 그 모든 햇빛과 바람과 구름과 그늘을 가둬놓은 그림의 액자 같았다.

그런 속에 계절이 바뀔 때마다 작은 마당에 알록달록 피어나던 꽃들이 있다. 환한 꽃의 기억이 파스 냄새처럼 아릿하다. 꽃이 마당을 환하게 밝히면 시간은 돌연 생기를 되찾았다. 원기를 얻은 것은 시간만이 아니었다. 할머니 또한 잠시 아슬아슬한 생기를 띠기 시작했다. 할머니는 싱싱한 꽃들에게 물을 듬뿍 주면서 중얼거리곤 했다. 너희들은 아직 살아 있단다. 아직, 아직 말이다⋯⋯. 밋밋

한 시간의 오솔길 어디쯤에서 할머니가 길을 잃었던 것일까. 니들은 무척 이쁘구나. 이쁜 것은 아무 소용없단다. 그러니 얼른 얼른 죽어라. 죽어버려라. 할머니의 마음은 어디에 있었던 것일까, 어디를 헤매고 있었던 것일까?

어디에서 왔을지 모르는 할머니의 마음을 알기나 한 것인가. 맨드라미는 나무 그늘 아래 울 것처럼 서 있었다. 주위엔 어두운 돌이끼가 잔뜩 끼어 있었다. 작고 깜찍하고 어여쁘고 화사하고 청순한 꽃이 많았지만 어쩐 일인지 나는 맨드라미에 자꾸 눈이 갔다. 우불구불 털이 부숭부숭한 닭벼슬을 닮았다고 했다. 검붉은 벼슬은 까닭 없이 꿈틀거리며 움직이는 것 같았다. 가벼운 미풍에 꽃대가 슬쩍 움직일라치면 나는 화들짝 놀라 뒷걸음질치곤 했다. 바람 없는 날, 가만히 멈춰 서 있는 그것은 병든 혓바닥 같았다. 아버지 때문일지도 몰랐다. 누워 있는 아버지가 그렇듯 검붉은 맨드라미는 슬픔과 울분, 꼿꼿한 고독과 징글징글한 아름다움을 품고 있었다. 나는 그것을 알았다. 알았다기보다 내 마음속에 이미 그런 것이 있었던 것일지도 모른다. 생각은 나중이었고 마음이 먼저였을 것이다. 마음 항아리에 공기가 드나들 듯 바깥 기운이 스며드는 것일지도 모른다.

그의 어깨 위에도 슬픔과 울분이 앉아 있었다. 몇날 며칠 술에 취해 내뿜는 숨에서는 징글징글한 어떤 것이 배어 있었다. 며칠째 거의 자지도 먹지도 않고 취한 채 의자에 앉아 있는 그에게서 꼿꼿한 고독을 느낀 순간도 있었다. 그의 숨결이 장마철 습기처럼 내 몸을 휘감는 것 같았다. 죽지 않았다면 그의 몸부림들은 액자에 담겨 세상에 보였을 것이다. 내년쯤 새로 전시회를 열었을 테고 다시 재기할 수 있었을지도 모른다. 한때 주목받던 작가였던 그는 화랑들과의 반목과 동료들의 질시 때문에 고립돼 있었다. 그는 거짓과 위선을 참지 못했다. 장례식장에 온 사람들은 그가 죽었으므로 그림이 돈이 될 거라고 수군댔다. 그들은 술을 마시고 눅눅한 돼지 머릿고기를 씹으며 나를 힐끗거렸다.

난 말이야, 그걸 평면에 심어놓고 말겠어. 나만큼 징글징글한 걸 꼭 되살리고 말 거야.

그가 화폭에 심어 넣은 맨드라미는 결국 그의 울분이며 슬픔이었을지도 모른다.

지난겨울 눈이 퍼붓던 날 아침, 내리는 눈처럼 소리 없이 나는 그를 떠났다. 깊이 잠들지 못하고 밤새 뒤척이던 나는 커튼이 쳐진 창 너머로 눈이 내리는 기척을 느꼈다. 무겁고 고요한 숨소리가 창밖에서 들려오는 듯했다. 억지로 몸을 일으켜 맨발로 창가에 섰다. 창밖에 하얀 절망이 땅으로 곤두박질치고 있었다. 굵은 눈발이 떨어져내리는 모습을 물끄러미 바라보다가 갑자기 생각났다는 듯 옷이며 화장품 따위를 트렁크에 담고는 친구에게 전화를 걸었다. 내 사정을 알았던 친구는 자기네 집으로 오라고 했다. 당분간 같이 지내자고 선뜻 제안했다. 나는 자동차에 체인을 감고 노트북과 트렁크를 차에 싣고는 곧바로 시동을 걸고 집을 떠났다. 그에게 말 한마디 남기지 않았다. 그는 이틀 동안 술을 퍼붓다가 새벽녘에 잠든 듯했다.

나는 머리가 지나치게 맑다고 느끼면서 편안하게 숨 쉬고 싶다고 생각했다. 차창 밖에선 여전히 무겁고 고요한 숨소리가 들려오고 있었다. 어떤 선택이라도 해야 한다고 스스로를 다그쳤다. 폭설에 가다 서다 되풀이하는 도로 위에서 나는 이대로 계속 가야 한다고, 그와 멀어져야 한다고, 고요한 숨이 필요하다고 스스로를 달랬다.

내가 떠나고 얼마 후 그는 시골로 내려갔다. 그도 얼마쯤 새로운 공간이 필요했을 것이다. 서울에서 멀지 않다는 그 집은 그의 친구가 사놓고 별장처럼 사용하던 공간이라고 했다. 그는 이따금 전화를 걸어와 만나고 싶다고 했지만 내 생각이 정해지지 않았으므로 아직은 보고 싶지 않았다. 다시 돌아가야 하는지, 그와 완전히 결별해야 하는지, 아니면 지금처럼 별거 상태로 지내야 하는지, 또 얼마나 오래 이렇게 지내야 하는지조차 마음을 정할 수 없었다. 얼마간 떨어져 지내려고 했을 뿐인데 상황은 물릴 수 없게 되었고, 무수한 길들이 내 앞에 놓여 있었다. 그는 나의 한집 한집에 대항하지 못한 채 허둥대고 있었다. 내가 그를 떠나옴으로써 우리 관계는 예상치 못한 줄기로 뻗어나갔다. 시커멓게 굳어버린 간에서 뻗어나간 정맥이 파국을 예고하듯. 어쩌면 그의 갑작스런 죽음의 첫 바둑알이 그 지점에서 놓였을지도 모르겠다.

그 후 여러 달이 지나도 나는 여전히 글을 쓰지 못했다. 친구에게 더 이상 폐를 끼칠 수 없어 낡은 오피스텔을 구해서 짐을 옮겨갔다. 돈도 필요했고 머릿속을 비우기 위해서라도 일이 필요했다. 알음알음으로 출판사에서 원고들을 받아 윤색 작업을 했다. 틀어진 감정처럼 얽히고설킨 문장들을 풀어내고 있으니 마음이 조금씩 가라앉는 기분이 들기도 했다. 눈도 뻑뻑하고 목도 쑤셨지만 잡다한 생각을 끊어내서 오히려 마음이 편했다. 그렇게 오피스텔에 틀어박혀 꼬박 한 달을 보냈다. 여배우의 에세이였다. 소속사에서 보내준 파일 자료와 홍보물들과 인터뷰 기사들을 시간별로 정리해야 했고, 여배우가 직접 작성했다는 뒤죽박죽인 원고와 사진 자료에 따른 날짜와 정황들을 일일이 대조하여 첨삭해야 했다. 출판사에서는 여배우의 이미지와 어울리는 감각적인 문장과 톡톡 튀는 어휘와 대화체를 주문했다. 나머지는 편집 과정에서 담당자가 다시 가필하겠다는 것이었다. 말은 그렇게 했지만 가필도 내 몫이 될 게 뻔해 보였다. 생각보다 까다롭고 힘들었다. 마감을 지키려고 서둘러 작업을 끝내고 담당자에게 이메일을 보내고 나니 기다렸다는 듯 머리가 쑤셔왔다. 점심때가 지나 있었지만 입이 깔깔해 입맛이 없었다. 냉장고에서 찬 맥주를 꺼내와 창가에 서서 홀짝거렸다. 창밖을 본다 해도 머리를 맑게 해줄 건 없었다. 고층 빌딩들이 눈을 가로막고 있었고, 아래 도로에서 올라온 매연과 열기가 시야를 더욱 답답하게 했다. 초여름 발랄한 햇빛이 고층빌딩 유리창들마다 반짝거려 눈이 부셨다. 나는 추상화를 바라보듯 빛의 불연속적인 무늬를 오랫동안 바라보았다. 그렇게 한참을 보고 있으니 분쇄된 빛의 부스러기들이 마음속 깊이깊이 가라앉아서 어딘가를 찔러댔다.

늦은 오후에 잠이 들었다가 깨어나 진득한 열기 속에

멍하니 앉아 있었다. 초저녁부터 폭우가 쏟아지더니 밤이 되자 천둥소리와 함께 번개가 번쩍였다. 장마가 시작된다고 했다. 어두운 방에 번갯빛이 비쳐들었다. 피곤에 지쳐 잠들어 있던 마음을 번득한 빛이 다시 불러오고 있었다. 나는 정말 그를 떠나려 하는가. 아직도 그에 대한 마음이 남았는가. 그렇다면 그건 무엇인가. 연민, 애증, 미련, 원망, 후회, 슬픔……. 끝없이 단어를 이어붙일 수 있을 것 같았다. 다시 번개가 번쩍였고, 선득한 불빛이 마음 구석구석을 샅샅이 뒤지고 있었다.

연이어 천둥소리가 들리고 잇따라 전화벨이 울렸다. 받지 않으려 했는데 벨소리는 오랫동안 끊이지 않고 울려댔다. 그였다. 꽤 오랜만에 걸려온 전화였다.

여보세요.

거기도 비 오나 보네. 유리창을 두들기는 빗소리가 전화기를 타고 들리는 모양이었다.

음. 여기도 비 많이 와, 저녁부터.

어떻게 지내.

잘 지내. 일도 좀 하고 있고. 당신은?

……나 요즘 술 안 마셔.

전화기 너머 건너오는 목소리로도 말짱한 것 같았다. 그는 술을 끊기 위해 시골로 온 거라고 말했다. 여기서도 술을 끊지 못한다면 병원으로 걸어 들어가겠다고 했다. 그러면서 다시 돌아오라고, 네가 없으면 나는 아무것도 아니라고 말했다. 마른번개가 그의 술 취한 얼굴을 허공에 그려놓았다. 나는 대답하지 않았다.

거기도 천둥 번개 쳐? 나는 짐짓 물었다. 달리 할 말이 없었다.

여기도 마찬가지지. ……도와줘.

꽤 거리가 있는 줄 알았는데 그렇지 않나 보네.

그렇게 멀지 않아. 당신이 마음을 바꾼다면.

당신은 당신 마음을 알아? 내가 조금 빈정거렸을지도 모르겠다.

그러지 말고, 한번 다녀가. 여기도 같은 시간에 천둥 번개가 치는 곳이잖아.

그렇잖아도 지난겨울에 가져오지 못한 짐들이 많았다. 옷이며 책들도 그렇지만 헤어드라이어나 구두 따위는 새로 사기도 뭣해서 가져오긴 해야 했다. 술을 끊었다는 그의 얼굴을 확인하고 싶기도 했다. 그걸 확인해서 뭘 어쩌겠다는 건지는 나도 알 수 없었다. 그가 평온한 상태라면 그를 설득해서 다시 병원 검진을 받게 하고 싶은 마음도 있었다. 삼 개월마다 정기검진을 받아야 하는데 그가 완강히 거부하는 바람에 어느새 일 년이 돼가고 있었다. 내가 같이 가지 못하면 그의 형이나 여동생에게 부탁할 요량이었다.

며칠 뒤 그의 형에게 전화를 걸었다. 어쩔 수 없이 우리 두 사람의 상황을 말할 수밖에 없었다. 몇 번 보지 않았지만 합리적이고 찬찬한 성격인 그의 형은 다 이해한다고 했다. 그러면서 조만간 그를 병원에 데리고 가겠으니 걱정 말라고 하면서도 동생을 잘 부탁한다는 말을 빼놓지 않았다. 거기다 대고 이러고저러고 할 수가 없어 나는 그저 네, 라고 짧게 대답했다.

오랜만에 비가 그쳤다. 비는 일주일 내내 내렸고 공기는 무겁고 축축했다. 도로가 한적한 낮에 차를 운전해서 가니 한 시간 남짓 걸렸다. 내비게이션에 주소를 입력하고 갈 때만 해도 몰랐는데 근처에 오니 언젠가 그와 함께 왔던 동네였다. 아마도 그가 좋아하는 손두부나 청국장 따위를 먹으러 왔던 것 같았다. 가끔 슬리퍼를 끌며 어슬렁거리며 청국장을 사먹고 돌아가는 그의 뒷모습이 그려졌다.

인적이 드문 곳에 지어진 집은 별장이라는 말이 무색하게 낡고 허름했다. 자동차가 들어서는 소리를 듣고는 물감 묻은 손을 급히 씻은 듯 그가 팔뚝의 물기를 털며 현관문을 밀고 나와 나를 맞았다. 예전보다 살도 좀 붙었고 낯빛이 밝아 보였다. 긴긴 장마철 내내 비가 오다가 갠 그날의 햇빛처럼 반갑고 고마웠다. 얼마 만에 보는 편안한 얼굴인지 몰랐다. 햇빛 아래 널린 빨래들을 바라보듯 무념한 시선으로 그를 마주보는 것도 오랜만이었다.

오랫동안 사람 손을 타지 않았던 집 안에는 먼지 냄새

가 맴돌았고 희미하게 곰팡이 냄새도 배 있었다. 청소를
한 것 같았지만 거무튀튀한 곰팡이 자국들이 벽 구석구
석에 음지식물처럼 퍼져 있었다. 그가 차를 끓이는 동안
냉장고 문을 열어보았다. 싱크대에 서 있던 그가 멋쩍은
표정으로 돌아보았다. 비닐랩에 싸인 청국장, 반쯤 남은
소주병, 국물용 멸치 봉지, 말라붙은 햄 조각, 김치와 양
념깻잎과 무말랭이 따위 밑반찬 그릇 세 개가 쟁여져 있
었다. 누가 밑반찬 챙겨주나 보네. 나도 모르게 말이 튀어
나왔다. 누군가 그런 걸 챙겨주는 사람이 있다는 게 다행
이면서도 한편 서운한 마음이 들기도 했다. 오다가 봤는
지 모르겠지만 정원을 근사하게 꾸며 놓은 아담한 집이
한 채 있어. 퇴직하고 이곳에 와서 사는 오십 대 부부가
있는데, 그 사이 친해져서 이따금 반찬도 나눠주고 바깥
양반은 바둑도 같이 하고 그래. 그 양반도 간이 안 좋았는
데 술 끊고 식이요법 하면서 좋아졌다네. 나는 반쯤 든 소
주병을 들고 흔들어 보였다. 그 술은 돼지고기 삶을 때 넣
고 남은 거야. 믿어줘, 하는 눈빛으로 나를 바라보는 그가

귀여워서 나는 피식 웃어버리고 말았다.

여름 한낮 햇볕이 침실에 파고들었다. 뜨거운 햇빛이 방 안 습기를 빨아들여 다리미 열판처럼 파식, 파식 빛 방울을 터트리고 있었다. 나의 맨 살갗도 뜨거워져서는 더운 김을 뿜어내고 있었다. 그는 햇빛 아래 드러난, 나의 성기 안쪽의 주름진 시울을 보고 또 보았다.

너의 작은 이것은 검붉은 맨드라미를 닮았어.

그건 어떤 모습일까. 나는 조그맣게 속삭였다.

주름지고 징그럽고 그렇지만 아름다워.

나도 보고 싶어.

내가 보게 해줄게, 꼭. 너의 중심, 작고 붉은 너의 맨드라미.

그는 간절한 헐떡임으로 돌아오라고, 곁에 있어달라고 말했다.

그는 조그마한 맨드라미를 무척이나 사랑했다. 나는 어린시절 마당에 서 있던 울적한 맨드라미에 대해 중얼거렸다. 병든 혓바닥 같던 꽃, 꿈틀거리는 듯했던 꽃, 슬픔과 울분 그리고 고독을 머금고 있던 그것……. 그는 언젠가 내가 들려준 이야기라고 말했다. 나는 기억이 없는데 그는 오래 전에 들었다고 했다. 했던 이야기를 또 하는 것, 이것이 짧은 행복일 거라고 생각했다. 행복의 순간은 언제나 짧았다.

다음날엔 또 가느다랗게 비가 왔다. 자동차에 꿉꿉한 옷가지들과 책들을 싣고 나서 큰 상자 가득 헤어드라이어와 구두와 액세서리 따위를 챙겨 넣었다. 시동을 걸기 전에 그를 올려다보았다. 차창에 손을 얹고 엉거주춤 서 있던 그는 내 눈을 보려 하지 않았다.

아주버님이 조만간 당신 데리고 병원 가시겠대. 갈 거지?

그는 웃으며 고개를 끄덕였다.

맨드라미가 피면 맨드라미를 꼭 그릴 거야. 그림이 완성되면 보러 와.

나도 웃으며 고개를 끄덕였다. 그것이 마지막이었다. 그로부터 한 달쯤 그는 술을 마시지 않았다고 한다. 그러다가 날씨가 무더워지면서 그는 다시 술을 입에 댔다가 다시 끊기를 반복했다. 작업도 열심히 했다고 한다. 바둑을 두러 오던 이웃집 남자가 무엇을 그리고 있냐고 물으면 그는 자기 자신을 그린다고 말했다. 그림에 대해 잘 모르는 남자가 초상화를 그리는 거냐고 되물으면 만취한 그는 씩 웃기만 했다고 한다.

현관 앞에 그가 신던 슬리퍼가 놓여 있다. 그는 여름이면 갑갑하다고 값싼 슬리퍼를 신고 이곳저곳 다니곤 했다. 고무슬리퍼에 발을 넣어본다. 그의 살처럼 부드럽고 탄력 있는 고무의 촉감이 내 발을 감싸주고 내 몸을 받아준다.

죽은 사람의 슬리퍼를 꿰신고 마당으로 나선다. 오래된 이야기에서처럼 고무슬리퍼가 나를 어디로든 데려갈 것 같다. 그곳이 어디이든 상관없다는 생각마저 든다. 앞마당엔 풀이 우북하고 흙에서부터 삭은 내가 올라오고 있었다. 근처 들고양이나 개들의 분비물이 썩은 냄새일 것이었다. 날벌레들이 부옇게 날고 있고 모기도 많아서 종아리 두 군데를 물렸다. 산에서 날아온 소나무 씨앗이 자란 듯 어린 소나무 두 그루가 울타리 너머에 터를 잡고 있었다. 슬리퍼를 끌고 집 뒤쪽으로 돌아갔다. 두어 평 남짓한 공터에는 바람에 날려온 비닐봉지와 과자껍질과 함께 잡동사니들이 쌓여 있었다. 녹물이 흘러내린 가스통, 옆으로 쓰러진 자전거, 다리가 떨어져나간 밥상, 무언가를 부수어 놓은 듯한 나무궤짝, 소주병들이 가득 담긴 플라스틱통, 빗물에 젖었다 마르기를 반복해서 우글우글해진 종이박스들.

뒷문으로 난 길을 따라 야트막한 산을 오른다. 그는 집 뒤로 조용한 공간이 있어 가끔 산책을 다닌다고 했었다. 그가 슬리퍼를 끌고 다녔을 곳을 걸어보고 싶었다. 짙은 구름이 몰려왔다가 환한 햇빛이 비춰들기를 되풀이하고 있었다. 빛과 어둠의 교호는 정적의 무늬가 되었다. 적막한 산에는 사람이 없다. 새소리도 없다. 슬리퍼를 끄는 내 발소리만이 정적을 일깨우듯 자근자근 울렸다. 너무 고요해서 내 숨소리가 들렸다. 고요가 깊어져 푹푹 삭고 있는 듯했다. 삭은 고요에 발효되기라도 한 듯, 한순간, 내장 어디쯤에서 보글보글 거품이 뜨는 기분이었다.

얼마쯤 걸었을까. 빈집이 하나 보였다. 나는 처음부터 이 집에 오기로 한 양 거리낌 없이 으스름한 집으로 들어섰다. 마당엔 시멘트가 쩍쩍 갈라지고 잡풀들이 치솟아 있고, 누군가 내다버린 듯 얼룩지고 팻물 고인 침대 매트리스와 녹슬고 우그러진 냄비 따위들이 나뒹굴고 있었다. 출입구 새시 문이 손가락 마디만큼 열려 있었다. 그 틈으로 눈을 대고 안을 들여다보았다. 이상하리만치 집 안 모습은 일상적이다. 들어가고 싶어 문을 열지만 가벼운 문은 꿈쩍도 않았다. 문틀에 먼지와 이물질이 잔뜩 끼어 있었다. 나무꼬챙이를 주워 쪼그리고 앉아 문틀의 돌가루와 이물질들을 걷어냈다. 겨우 몸을 옆으로 해서 들어갈 만큼 문을 열고 발을 들여놓았다. 집 안은 말끔했다. 부엌살림이며 가재도구들도 그대로 자리하고 있었다. 부엌은 좁고 어둑해도 싱크대는 반들반들 빛나고 행주와

수세미는 짯짯하게 말라 있었고, 그릇들은 차곡차곡 포개져 있었으며, 수저통에는 세 벌의 수저가 꽂혀 있었다. 겉모습이나 마당의 몰골로 봐서는 빈집이 틀림없건만 안쪽 모습은 잠시 외출이라도 나간 그것이었다. 이들은 모두 어디로 갔나, 나도 모르게 중얼거렸다. 어딘가에 있을 이 집 사람들에게 내 중얼거림이 들리기라도 할 듯, 함부로 들어와서 죄송하다고, 어찌됐든 내 잘못이라고 말하고 싶어 나는 또 중얼거렸다. 당신들은 모두 어디로 갔나요.

꼭 누군가 있을 것만 같아 조심스레 방문을 열었다. 퀴퀴한 된장 냄새가 코를 덮는다. 어두워 잘 보이지 않지만 방 벽을 따라 메줏덩이가 주렁주렁 걸려 있을 듯한 냄새였다. 슬리퍼를 벗고 방으로 들어섰다. 무슨 색인지 모를, 반들반들한 장롱이 한편에 자리잡고 있었다. 눅눅한 커튼을 걷자 창문 틈으로 어렴풋한 빛이 스며들었다. 장롱은 오래 전에 유행한 파스텔 톤이었다. 그것은 연두색도 아니고 푸른색도 아닌 모호한 색이었고, 세월에 바라 먼 기억처럼 희미했다. 작은 텔레비전, 다섯 칸짜리 서랍장,

그 위에 포개진 이불들. 그리고 앉은뱅이책상, 작은 쟁반에 놓인 물주전자와 컵 하나. 낯익은 정물화 같은 구도 속에 사물이 놓여 있었다.

방바닥 한쪽 끝에 붉은 담요가 반듯하게 펼쳐져 있었다. 그들은 겨울에 떠났을지도 모른다. 여자가 먼저 떠나고 뒤이어 남자도 이곳을 떠났겠지. 여자가 집을 나서던 날, 눈이 펑펑 퍼부었을까. 붉고 보드라운 털이 촘촘히 누워 있는 담요는 많고 많은 이야기를 품고 있을 것이다. 분노, 증오, 울음, 악다구니⋯⋯. 기억은 바라지 않아 희미해지지 않는다. 기억 속에 이것은 할머니와 아버지와 함께 덮던 담요와 생김새가 똑같다. 냄새나는 담요 속에 들어가 다리를 뻗고 눕는다. 방바닥이 바둑판처럼 딱딱하다. 붉은 담요를 머리까지 뒤집어쓰고 소리 죽여 운다. 눈물이 꾸덕꾸덕 비어져 나온다. 모두들 어디로 갔나, 어디로 갔나⋯⋯.

오동나무 관 위에 맨드라미담요가 펼쳐져 있다. 욕망의 털이 부숭부숭하고 운명의 주름이 우둘투둘하고 슬픔의

거죽이 맨질맨질하다. 두툼한 융단 주름 위에 그가 맨몸을 눕는다. 나는 다리를 벌리고 그의 볼록 튀어나온 배에 걸터앉아 비탄을 속삭인다. 나의 조그만 맨드라미가 철없이 부풀어 오른다. 슬픔으로 익어 터질 듯한 꽃은 그러나 울음을 꿀꺽꿀꺽 삼킨다. 울음을 삼킨 채 꿈틀거린다. 내 속의 작은 맨드라미가 떨고 있는 것이다. 나는 부르르 떨면서 읊조린다. 이것은 꿈이 아니라고, 꿈보다 더 깊은 꿈이라고 되뇐다. 된장 냄새보다 더 깊은 청국장 냄새가 맴돈다.

나는 내가 언제인지도 모를 단조로움 속에 들어와 있는 걸 안다. 그렇지만 여긴 어디……? 병든 마음속. 아픈 항아리 속. 어딘지 모를 마음속.

애야, ……애야. ……이리 온. 누군가 항아리 속에서 나를 부르는 소리가 들린다. 어디를 보는 거냐. 여기란다. ……할머니? 집 뒤꼍에서 할머니가 나를 부르는 소리 같다. 할머니의 목소리가 그 사이 걸걸해진 걸까. 탁주에 목구멍이 젖은 목소리다. 귀를 기울이니 남자 음성 같기도

하다. 살아서 늙어버린 그일지도 모른다는 생각이 퍼뜩 머리를 스친다. 나는 벌떡 일어나 밖으로 나간다. 애가 달아 발을 놀리지만 허둥댄다. 버려진 옷과 플라스틱 함지와 나무 궤짝들이 내 앞을 가로막는다. 짓이겨진 잡풀들은 미끄럽다. 항아리 속 청국장 같은 목소리는 자꾸만 읊조린다. 맨드라미야, 어서어서 늙어버려라. 늙지 않으려거든 얼른얼른 죽어버려라. 어서어서, 얼른얼른······.

슬리퍼 밖으로 나온 엄지발가락이 따끔거렸다. 허둥대다 나무꼬챙이에 찔린 모양이었다. 집 뒤는 음지식물과 말라비틀어진 풀들과 푸르뎅뎅한 이끼와 축축한 흙 위를 기어다니는 다발 벌레들의 터전이었다. 그 속에 들꽃이 듬성듬성 피어 있었고 돌무더기와 이끼들 위에 맨드라미가 우뚝 서 있었다. 항아리 속 부름처럼 피어 있었다.

맨드라미는 긴장한 듯 호흡을 멈추었다. 꽃대도 움츠러드는 듯했다. 항아리 속인 듯 아—, 소리가 떨렸다. 가까이 다가가자 맨드라미도 아—, 하며 떨고 있었다. 검붉은 그것은 한 떨기 떨림이었다.

그도 여기서 맨드라미를 본 것일까. 친구의 별장에 여러 번 왔을 것이니 여름이면 이 집에 맨드라미가 핀다는 걸 알았던 걸까. 그림 속 맨드라미가 내 앞의 이것이라면 그가 보던 것을 나도 보고 있는 것이었다. 내가 보는 것을 그도 보고 있을까. 시공의 바둑판 어디쯤에서 그와 나의 시선이 만날 수 있을까.

그는 끝내 병원에 가지 않았다. 그의 형이 찾아와 아무리 설득해도 듣지 않았다고 했다. 그러면서 그는 맨드라미가 맨드라미가 아니게 될 때까지 맨드라미를 그렸다. 사물을 그리면서 사물의 흔적을 지워나갔다. 그는 만취와 각성 사이에서 몸부림쳤을 것이다. 몸속 딱딱한 간이 시든 맨드라미처럼 거무죽죽하게 시그러지는 것도 모른 채 그리고 또 그렸을 것이다. 구상이 추상이 될 때까지. 그러므로 이것은 그를 위해 핀 것이었다. 그의 모자란 완성을 위해 삭은 흙속에서 조용히 솟아난 것이었다. 검붉은 피는 굳어서 맨드라미가 되었다. 그리고 항아리 속에 우두커니 앉아 있는 나를 위해 피어 있는 것일지도 모른다. 나는 오랜 시간을, 장독 속 된장 같고 청국장 같은 시간을 돌아와 앉는다.

죽은 자가 산 자 앞에 심어 놓은 맨드라미 앞에 앉는다. 그늘 속에 고개를 쳐든 그것은 솟아오르는 울음을 삼킨 듯 붉다. 닭벼슬 같고 병든 혓바닥 같은 맨드라미는 무서웠지만 슬펐고, 징그럽지만 아름다웠다. 삶은 뒷걸음질하다 되돌아왔으며 보지 않으려 해도 보아야 했다. 맨드라미, 삶이 토해 놓은 꽃. 죽음이 살려 놓은 꽃. 병든 마음의 꽃.

바람이 죽은 사람을 위로하고 햇볕이 산 사람을 위로한다. 죽음을 응시하듯 맨드라미를 바라본다. 아니다. 검붉은 맨드라미가 나를 응시한다. 부숭부숭한 울음을 삼킨 그것이 내게 말한다. 울지 말라고, 너는 붉은 맨드라미를 품고 있다고. 내게 말하느라 검붉은 몸을 다시 꿈틀거린다.

결여와 생성의 동시성 가운데 피어나는
너의 의미

— 『사월에 내리는 눈』에 대하여

홍기돈

문학평론가

1. 「맨드라미」: 단독자의 경계가 지워진 자리에 핀 검붉은 꽃

이아타의 소설은 근대 주체가 해체되는 자리에서 펼쳐진다. 「맨드라미」가 예술가의 죽음 이후 시점에서 전개되는 까닭은 그 때문이다. 예술가는 자신을 둘러싼 세계 및 자기 자신과 고독하게 대결을 펼쳐나가며, 그 치열한 대결의 산물이 작품이라 이해되곤 한다. 이때 작품은 예술가의 분신으로서, 다른 무엇으로 대체할 수 없는, 개성이 집약된 예술가만의 고유한 세계이다. 그리고 예술가의 광기란 작품이 산출되는 과정에서 파생하게 마련인 내적 갈등의 폭발이란 측면에서 어느 정도 용인되게 마련이다. 단독자로서의 근대 주체 이념이 가장 적극적으로 구현된 존재가 예술가라는 사실은 이러한 통례로써 확인할 수 있다.

「맨드라미」의 화가 역시 온전한 자신과 맞대면하기 위하여 처절한 대결을 벌여 나가며, 광기라 이를 만한 행태를 벌이곤 하였다. "한 번 술을 마시면 며칠이고 술을 마셨고 난폭해졌으며 폭언도" 일삼았는데, 폭언이란 이를테면 "징글징글한 자기 자신을 사십 년 넘게 견디고 있으니 너도 견디라고 뇌까리다가, 다음날이면 내가 죽어야 네가 편해지니 내가 어서 죽기만을" 바라라는 식이다.(87~88면) 그가 각혈하고 죽은 현장도 자신과 벌이는 대결의 연장 가운데서 이해된다. 사방으로 흩뿌려져 굳어

버린 핏물에서 잭슨 폴락을 떠올리는 그의 아내는 다음과 같이 묻고 있다. "응고된 피는 팔레트에 굳어 있는 물감처럼 쩍 갈라져서는 메마른 허무를 드러내고 있었다. 내 그림은 구상이 아니라 추상이야. 넌 알잖아, 다리를 건너 강으로 가려 한다는 걸. 죽어가면서 그는 검붉은 죽음의 추상을 남겼다."(85면)

만약 이아타가 근대 주체의 우뚝한 면모를 담아내고자 했다면 「맨드라미」는 화가의 고독과 대결에 초점이 맞춰졌을 것이다. 그렇지만 「맨드라미」를 이끌어가는 화자는 화가와 반 년 정도 별거 상태를 유지하고 있던 그의 아내다. 떨어져 지낸 반 년의 공백을 넘어 화가의 죽음을 이해하기 위하여 아내는 유작(遺作) 〈맨드라미〉의 의미를 찾아나서야 한다. 그런 점에서 「맨드라미」의 주제는 아내가 다음과 같은 물음의 해답을 마련해가는 과정에 놓여 있다고 할 수 있다. "가로 세로 시공의 한 점에 놓인 죽음은 그러나 물릴 수 없다. (중략) 검은 돌이 놓인 이후 나는 쩔쩔매며 검은 돌을 상대해야 한다. 살아 있는 나는 검은 집에 대항하며 흰 집을 지어야 하는 걸까. 그래서 나는 지금 여기 주검이 놓였던 이 공간에 와서 그의 맨드라미 앞에 서 있는 걸까."(89~90면)

그럼에도 불구하고 「맨드라미」 읽기가 아내의 기억과 탐색을 따라가는 수동적인 동참에 머무를 수는 없다. 이는 이야타가 존재에 내재한 일종의 결여 지점을 자꾸만 환기시키고 있기 때문이다. 예컨대 별거 당시 만취 상태의 화가는 이따금 아내에게 전화를 걸어 무섭다고 토로하곤 했다. "뭐가 무섭냐고 물으면 모든 게 무섭다고 했다. 사는 게 무섭고 또 이대로 죽는 게 무섭다고 했다. 나도 사는 게 무섭고 아무것도 못하고 그냥 죽는 것도 무서웠다."(89면) 가변적인 삶을 살아가는 인간은 그 불안정성으로 인하여 삶이 무서우며, 살아서 이룩한 모든 가치가 죽음에 이르러 무화되어 버리니 죽음이 무서운 것이다. 그러니까 삶의 불안정성, 죽음의 불가피성은 존재의 결여를 발원지로 삼아 피어오르는 것인 바, 인간이 감당해야 하는 존재론적 불안은 바로 이 결여와 관련된다고 정리해도 무방하다.

예술가의 죽음 이후 「맨드라미」가 전개되고 있다는 사실의 함의는 여기서부터 빚어진다. 화가뿐만 아니라, 화가의 호소를 듣고 있는 아내도 존재론적 불안에 오들오들 떨고 있다. 모든 인간이 그러하지 않을까. 생각이 이에 미치자 아내는 화가의 불안을 자기 것인 양 끌어안게 된다. "그는 혼자 사는 것도 무서웠을 것이다. 피를 토하면서 홀로 죽어가면서 그는 얼마나 두려웠을까."(89면) 이러한 공감이 중요한 까닭은 존재론적 불안을 넘어설 방향이 내장되어 있기 때문이다. 아내는 자신의 결여를 통과하여 화가의 결여로 건너감으로써 공감에 이르렀다. 결여의 지평 위에서 단독자의 견고한 울타리는 빈틈을 드러낸 형국이니, 근대 주체의 이념이 허물어지는 지점이라고 말할 수도 있겠다.

유작 〈맨드라미〉는 존재에 내재하는 그러한 결여 지점의 객관적 상관물에 해당한다. 그래서 작가는 "궁극의 한 점에 맨드라미가 고요히 놓여 있다"고 말하는 것이다.(90면)

맨드라미 이야기는 애초 아내의 유년기 기억에서 비롯되었다. 예닐곱 살 무렵 아내는 깊은 병환으로 내내 누워 지내는 아버지, 말수 적은 할머니와 낡은 슬레이트집에 살았고, 맨드라미는 집 마당에 피는 꽃들 가운데 하나였다. 유독 어린 아내의 눈길을 끌었던 꽃이 맨드라미였는데, 맨드라미가 아버지의 '병든 혓바닥'을 연상시켰기 때문이다. "누워 있는 아버지가 그렇듯 검붉은 맨드라미는 슬픔과 울분, 꼿꼿한 고독과 징글징글한 아름다움을 품고 있었다."(92면) 깊은 병환이 존재의 유한성에 포박당한 아버지의 상태를 보여준다면, 꽃에 물을 뿌리는 할머니의 중얼거림은 불가역적인 삶의 순간성을 환기시킨다. "니들은 무척 이쁘구나. 이쁜 것은 아무 소용없단다. 그러니 얼른 얼른 죽어라. 죽어버려라."(92면)

겨우 예닐곱에 불과한 유년기의 아내는 어떻게 맨드라미에서 아버지·할머니의 그러한 결여를 감지할 수 있었을까. "나는 그것을 알았다. 알았다기보다 내 마음속에 이미 그런 것이 있었던 것일지도 모른다. 생각은 나중이었고 마음이 먼저였을 것이다. 마음 항아리에 공기가 드나들 듯 바깥 기운이 스며드는 것일지도 모른다."(92~93면) 존재의 결여란 모든 인간에게 부여된 운명이니 유년기 꼬마라 해서 이에 무감각하리라는 것은 속단이며, 결여를 통하여 나에게서 너에게로 건너가는 운동은 '항아리에 바깥 기운이 스며드는' 것과 같이 진행되므로 알고/모르고의 이성 영역에서 접근할 사항도 아니다. 즉 존재의 결여는 이성의 작동보다 선재(先在)·선행(先行)한다는 것이다.

존재의 결여가 어떻게 각 단독자들의 연결 근거로 작동하는가는 〈맨드라미〉를 보면 알 수 있다. 맨드라미를 둘러싼 아내의 유년기 기억은 화가에게로 건너갔다. "그는 언젠가 내가 들려준 이야기라고 말했다. 나는 기억이 없는데 그는 오래 전에 들었다고 했다."(104면) '징글징글한 자기 자신을 사십 년 넘게' 견디는 중이라 여겼던 화가였던 만큼 아내의 맨드라미 이야기에 깊이 공명하였으리라. 그런데 화가의 〈맨드라미〉에는 결여를 낳은 원인이자 단독자의 고독을 넘어설 계기까지도 기입되어 있다. 아내의 성기를 바라보며 화가는 속삭였다. "너의 작은 이것은 검붉은 맨드라미를 닮았어. 주름지고 징그럽고 그렇지만 아름다워." 자기도 보고 싶다는 아내의 말에 다음과 같이 약속하고 그렸던 그림이 〈맨드라미〉다. "내가 보게 해줄게, 꼭. 너의 중심, 작고 붉은 너의 맨드라미."(103면)

삶의 마지막 순간까지 화가는 "맨드라미가 아니게 될 때까지 맨드라미를 그렸다. 사물을 그리면서 사물의 흔적을 지워나갔다."(112면) 화가가 지워나간 맨드라미의 경계는 기실 단독자의 견고한 울타리였다. 달리 말한다면, 존재의 결여 지점을 매개로 화가와 아내가 만나고 있는 자리가 유작 〈맨드라미〉라는 것이다. 물론 화가는 할머니·아버지가 일찌감치 떠나간 길을 따라갔고, 그들이 가 있는 세계는 마치 "항아리 속에서 나를 부르는 소리"인 양 "애야, ······애야. ······이리 온. 누군가 항아리 속에서 나를 부르는 소리가 들린다. 어디를 보는 거냐. 여기란다." 손짓할 것이며, 아내는 가끔 꾸역꾸역 비어져 나오는 눈물 가운데 "소리 죽여" 울면서 "모두들 어디로 갔나, 어디로 갔나……."라면서 결여로 향하는 자신의 운명을 떠올릴 것이다. 하지만 그것은 나에게서 너에게로 이어지는 살아 있는 세계의 꿈틀거리는 운동을 몰각했을 때에나 가능한 일방적인 시선에 지나지 않는다.

보라, "삶이 토해 놓은 꽃. 죽음이 살려 놓은 꽃." 〈맨드라미〉는 자신은 살아 있다고, 너도 검은 결여를 가로질러 붉게 살아 있으라고 꿈틀거리고 있지 않은가. "바람이 죽은 사람을 위로하고 햇볕이 산 사람을 위로한다. 죽음을 응시하듯 맨드라미를 바라본다. 아니다. 검붉은 맨드라미가 나를 응시한다. 부숭부숭한 울음을 삼킨 그것이 내게 말한다. 울지 말라고, 너는 붉은 맨드라미를 품고 있다고. 내게 말하느라 검붉은 몸을 다시 꿈틀거린다."(113면) 근대의 틀을 넘어서는 인간과 인간의 삶에 대한 파악은 〈맨드라미〉의 이해 가운데서 새로운 방안을 모색해볼 수 있지 않을까. 이아타는 「맨드라미」를 통해 그 가능성을 타진해 보는 듯하다.

2. 「사월에 내리는 눈」: 소비자본주의를 건너가기 위한 존재자의 방편

「맨드라미」의 화가가 주체(성)에 과도하게 몰입하여 죽음을 운위하는 반면, 「사월에 내리는 눈」에는 자신의 주체성을 마련하지 못하여 죽음의 방향으로 경사하는 인물들이 제시되어 있다. 우울증을 앓고 있는 상진과 이정수를 보자. 우울증은 삶의 가치를 찾지 못한 까닭에 일상사에 대한 관심·흥미가 사라지고, 심한 경우 자살 충동이 반복하여 일어나는 증세를 나타낸다. 지금 여기 벌어지고 있는 사태에 대한 상진의 무력감, 무감각은 이와 연관된다. 예컨대 그가 "어제 오후와 오늘이 다를 바 없다고" 생각하는 까닭은 각 사건이 그에게 어떠한 의미도 가지지 못하기 때문이다.(25면) 그런데 상진의 일상을 들여다보면, 기실 상진은 소비자본주의 시대를 살아가는 평균인의 면모에 해당함을 알 수 있다.

상진은 어제 복합몰에서 인도 커리 음식을 먹고 난 뒤

대만차를 마셨으며, 가상현실(VR) 영화관에서 생동감 넘치는 할리우드 SF 블록버스터를 관람했다. 인도·대만·미국의 다양한 문화가 그의 한나절을 채웠으나 결국 남은 것은 공허다. "그런 영화를 보면 자주 느끼는 거지만 뱃속에 포만감이 가득하고 발이 땅에 닿지 않는 기분이었다."(9면) 대여섯 명의 사내들이 얼굴을 가린 여성과 차례대로 벌이는 오늘의 섹스도 무미건조하기는 마찬가지다. 상진은 "다른 사람의 행위를 지켜보며 그저 업무를 처리하듯 순서가 됐을 때 할 일을 하면 된다고" 마음먹고 일을 치렀으며, "모두의 행위가 끝날 때까지" 자리를 지키는 것이 "영화관에서 자막이 다 올라올 때까지 앉아" 있는 에티켓과 같은 것이었으므로 끝까지 남았을 뿐이다.(25면) 섹스 또한 소비재에 불과하니 소비하고 돌아서면 남는 것이 없는 것이다.

　어제와 오늘이 다를 바 없듯이, 내일이라고 해서 달라질 리 없다. 이러한 일상의 지반을 존재론의 층위에서 환기시키는 장치가 꿈이다. "꿈속에서 우주를 떠도는 우주선을 보았다. 엄격한 질서 속의 은하계 행성들 사이로 우주선 하나가 질서를 잃은 채 오랫동안 떠돌았다."(11면) 물론 까만 우주를 떠도는 우주선은 상진을 상징하며, 엄격한 질서 속의 은하계 행성들이란 소비자본주의 체계에 잘 따르는 타인을 의미한다. 밖으로 드러나지 않을 뿐, 각자의 타인들도 저마다 스스로에 대해 궤도에서 이탈한 우주선이라 여기고 있지 않을까. 누구나 자신을 둘러싼 소비자본주의의 회로에 충실하게 살아가되, 그 가운데서 나름의 각별한 의미를 길어 올리지 못하고 있을 테니 말이다. 실상 겉모습만 본다면 상진 역시 엄격한 질서 속의 은하계 행성들 가운데 하나에 해당하겠다.

이정수의 우울증은 가족사 속에서 이해할 수 있다. 할아버지가 치매 진단을 받으면서 단란했던 가족의 분란이 시작되었다. 재산 정리를 둘러싼 아버지 형제들의 반목, 난폭해진 아버지와 우울증 약을 먹게 된 어머니, 그리고 누나·어머니의 자살. 그러니까 재산 문제가 우울증의 기원으로 놓여 있으며, 폭주하는 우울증의 도달점은 죽음에 맞닿아 있는 셈이다. 이정수는 기원과 도달점 사이에 자리하고 있다. 그래서 그런지 이정수의 상태는 자본의 사이클과 닮아 있기도 하다. 자본(주의)의 사이클은 호황기와 공황기 사이를 오르내리며 형성되는바 이정수는 그에 대응하듯 조울증을 앓고 있으며, 멀찍하게 물러서서 봐야만 파악할 수 있는 사이클의 진행처럼 그의 증세도 "평소엔 전혀 드러나지" 않는다.(13면) 더군다나 "그는 입버릇처럼 돈 되는 일과 재밌는 일은 무슨 일이든 한다고" 말하고 있다.(13면)

이렇게 정리한다면, 이아타가 우울증을 앓는 인물들을 「사월에 내리는 눈」에 내세운 까닭이 드러난다. 우리가 살고 있는 소비자본주의 세계는 사람이 시선의 방향을 자기 자신에게로 되돌려 성찰 계기를 마련하는 데 적절치가 않다. 어떠한 행위도 아무런 의미를 차지하지 못한 채 무감각 · 무기력하게 이행되는 까닭이 이로써 빚어지며, 행위를 수행하는 주체는 느슨해지고 엷어질 수밖에 없는 것이다. 소설 속에서 누차 반복되는 무중력 상태,

발이 땅에 닿지 않는 기분 등은 이를 환기하는 기술이며, 우울증은 그러한 경향의 방향을 나타내는 징후로서의 설정이다. 그러니 「사월에 내리는 눈」이 "서로 부딪치지 않으려 거리를 두었고 우주 행성처럼"(29면) 멀어진 인물들이 주어진 상황을 어떻게 타개해 나가는가, 로 이어져 나가는 흐름은 당연하다고 하겠다.

상황 타개 방식과 관련하여 이야타는 두 가지 지점에 초점을 맞추고 있는 듯하다. 첫째, 상진이 헤어졌던 옛 애인 이안을 끌어안고 잠들면서 소설이 끝나는 데서 알 수 있듯이, 인간과 인간의 관계 복원에서 타개 방향이 마련되고 있다. 이안은 상진이 우울증 약을 먹고 있다는 사실을 아는 유일한 친구인바, 이러한 공유와 이해가 관계 복원의 바탕이 될 터이다. 과거 결별했던 이유로 서로 간의 대화 부족을 꼽고 있는 대목도 이와 무관치 않다. 마르틴 부버 식으로 표현하건대, 이는 눈앞의 존재를 사물이 아닌 인격으로 대함으로써 '나 — 그것'의 관계에서 '나 — 너'의 관계로 건너감을 의미한다. 에리히 프롬 식으로 바꿔 말하자면, 「사월에 내리는 눈」의 주제의식은 '소유 중심의 삶'을 '존재 중심의 삶'으로 전회시켜야 한다는 것으로 정리할 수 있겠다. 이것이 소비자본주의와 맞서는 이아타의 방식이다.

소비자본주의와 맞서는 방식은 익숙하다면 익숙할 수도 있는 반면, 존재 전이의 계기로서 사건의 우발성을 적극적으로 끌어안는다는 두 번째 특징은 탈근대 사유의 흐름과 일치한다. 상진이 이안을 찾아가게 된 데에는 눈 내리는 상황에서의 교통 사정이 원인으로 작동하고 있다. 그래서 제목이 「사월에 내리는 눈」일 것이다. 그만큼 눈 내리는 상황이 중요할 터인데, 날씨 변화는 우발적이라 할 수 있으며, 이는 엄격한 질서 속의 은하계 행성들에게서 나타나는 운동성과 반대편에 자리한다. 이러한 우발성에 먼저 의미를 부여하고 있는 인물은 이정수인데, 그는 상진과의 대화에서 "기억하려고. 사월에 눈이 오는 날을 인생에 몇 번 보겠어."라고 진술하고 있다.(27면) 그런 점에서 "밖에 내리는 눈처럼 너 참 뜬금"없이 이안에

게 돌아가는 상진은 그러한 의미를 행위로 완성시키는 인물이라 하겠다.(34면)

우발성의 수용이 중요한 까닭은, 객관 법칙으로 설명할 수 없는 인간의 존재 양상을 드러내는 방편이면서, 아직 확정되지 않은 채 매 순간 변화해 나가는 인간관을 포착할 수 있기 때문이다. 있음(being)에서 됨(becoming)으로의 이행이라고 할까. 아마도 이아타는 이를 의도하여 상진이 LP로 재즈 듣는 대목을 삽입하였을 터이다. 재즈라는 장르는 그 자체가 즉흥성을 특징으로 하며, 상진을 편안케 하는 "엘피 특유의 잡음과 살짝 튀는 소리들" 또한 계산되지 않은 잉여의 영역을 드러내는바, 이는 "발을 땅에 대고 있다는 감각을" 줄 뿐만 아니라 "음악과 자신이 탯줄로 연결돼 있다는 안정을" 주는 것으로 작가는 설정하고 있다.(14면) 타인은 어쩌면 계산하지 못한 잡음처럼, 혹은 예상보다 살짝 튀는 소리처럼 우발적으로 나에게로 건너오는 게 아닐까. 그 순간의 의미를 끌어안으면서 나와 너는 하나의 관계쌍으로 자리를 잡아나가게 되는 것이리라.

「사월에 내리는 눈」의 마지막 장면을 보건대 상진과 이안은 의미 있는 관계쌍으로 남아 있을 성싶다. 상진이 커튼을 여미었으니 그네들의 공간은 세상(소비자본주의)과 단절된 형국이 되었으며, 이안은 "쌓인 눈뭉치 같은" 실루엣으로 남아 있기 때문이다. 또한 아직껏 "무중력 같은 어둠이 현실"이라고는 하나, 젖 냄새가 감돌고 있으니 그러한 현실과 맞설 생성의 가능성도 주어진 셈이라고 할 수 있겠다. 「사월에 내리는 눈」의 이러한 마무리는 작가 이아타가 자신을 둘러싼 세계와의 싸움을 당분간 이어나가리라는 판단을 가능케 한다. 물론 그는 「맨드라미」의 작가이기도 한 만큼, 그 싸움을 고독한 단독자의 방식으로 풀어내지는 않으리라 짐작된다.

이상과 같이 「맨드라미」와 「사월에 내리는 눈」을 파악한다면, 두 텍스트는 같은 주제를 두고 상이한 방향에서 탐사해 나간 작업의 산물이라고 할 수 있겠다. 물론 그

주제란 인간 존재에 관한 사유에 근거하여 근대 주체를 해체하는 한편 그를 대체할 새로운 주체의 모색이다. 이 처럼 묵직한 주제를 대상으로 고투를 벌이는 사례는 최근 한국소설에서 확인하기 어려우니, 이와 관련된 사유의 깊이라든가 상징을 부여하는 작법의 능란함 등에 대한 상찬은 오히려 불필요한 지경이라 하겠다. 모쪼록 존재의 결여 지점을 응시하며 생성의 계기를 길어 올리고자 하는 그 모험이 알찬 결실로 이어지기를 기원하며 글을 맺는다.

자연은 인간을 위해 존재하지 않는다. 별스럽지 않은 이 말이 매일 숨 쉬는 공기 중에 떠도는 지금이다. 자연은 무심하다. 세계는 인간의 역사가 아닌, 자연의 역사일지도 모른다.

사실 무심하기론 소설도 만만찮다. 온갖 변화무쌍한 인간사와 인간의 감정들을 다루지만 인간과 인간의 삶에 거의 영향을 미치지 않는다. 그럼에도 오랜 시간 동안 소설은 있었고, 앞으로도 오래도록 있을 것이다. 두 겹의 모더니즘 속 교집합 부분을 살아가는 지금, 나라는 한 개인이 소설을 쓰는 행위가 무엇인지 생각 안 할 수가 없다. 솔직히 말하면, 생각해봐도 잘 모르겠다. 바람이 불고, 폭우가 쏟아지고, 나무가 자라고, 파도가 덮치는 행태와 비

숫하다. 무심한 생명력에는 절망도 있고 희망도 있다. 바람 불고 햇빛 좋은 날 놀고, 나무가 자라는 걸 질투하며, 별스럽지 않은 많은 날들에 책상 앞에 앉으리라.

단편들이 묶여 소담한 책이 되기까지 정성껏 살펴주신 김태형 대표님께 감사드린다. 해설을 써주신 홍기돈 선생님께 깊이 감사의 말씀 전하고 싶다. 정밀하고 섬세한 통찰력으로 작품 구석구석 온기를 전해주셨다. 한동안 잊고 서랍에 둔 향초를 꺼내 불을 붙인다. 그윽하고 따스하다. 사람의 일은 무심할 수가 없다.

경驚.기記.문文.학學 39

사월에 내리는 눈

이아타 소설집

초판 1쇄 발행 2020년 9월 15일

지은이   이아타
펴낸이   김태형
펴낸곳   청색종이
등록   2015년 4월 23일 제374-2015-000043호
주소   서울시 영등포구 문래동2가 14-15
전화   010-4327-3810
팩스   02-6280-5813
이메일   theotherk@gmail.com

ⓒ 이아타, 2020

ISBN 979-11-89176-39-6   03810

이 도서의 국립중앙도서관 출판예정도서목록(CIP)은 서지정보유통지원시스템 홈페이
지(http://seoji.nl.go.kr)와 국가자료공동목록시스템(http://www.nl.go.kr/kolisnet)
에서 이용하실 수 있습니다.(CIP제어번호: CIP2020036250)

이 도서는 경기도, 경기문화재단의 문예진흥기금으로 발간되었습니다. 저작권법에 따
라 보호받는 저작물이므로 저작권자와 출판사의 허락 없이 복제하거나 다른 용도로 사
용할 수 없습니다.

값 8,000원